WIE MAN

SCHNELLER

SCHWIMMT

Alles, was Sie über schnelleres Schwimmen wissen müssen

Friedrich Zimmermann

Darüber hinaus werden die Informationen, die auf den hier beschriebenen Seiten zu finden sind, als korrekt und wahrheitsgemäß angesehen, wenn es um die Wiedergabe von Fakten geht. In diesem Sinne ist der Herausgeber von jeglicher Verantwortung für Handlungen, die außerhalb seines direkten Einflussbereiches liegen, befreit, unabhängig davon, ob diese Informationen richtig oder falsch verwendet werden. Ungeachtet dessen gibt es keinerlei Szenarien, in denen der ursprüngliche Autor oder der Verlag in irgendeiner Weise für Schäden oder Unannehmlichkeiten haftbar gemacht werden können, die sich aus den hier besprochenen Informationen ergeben.

Darüber hinaus dienen die Informationen auf den folgenden Seiten nur zu Informationszwecken und sind daher als allgemeingültig zu betrachten. Sie werden naturgemäß ohne Gewähr für ihre fortdauernde Gültigkeit oder vorläufige Qualität präsentiert. Die Erwähnung von Warenzeichen erfolgt ohne schriftliche Zustimmung und kann in keiner Weise als Zustimmung des Warenzeicheninhabers gewertet werden.

Inhalt

Einführung

Selbst wenn du nicht gerade aus dem Schwimmsport kommst, kannst du immer noch eine Menge tun, um dein Schwimmen zu verbessern, und genau darüber werden wir hier sprechen: Wie du dein Schwimmen schneller machen kannst, während wir zwei verschiedene Sportarten in den Mix einbringen. Man kann es wirklich in zwei Komponenten aufteilen: Verbessern Sie die Methode und verbessern Sie den Motor.

Viele Trainer im Schwimm- und Triathlonbereich sind sich einig, dass exzellentes Schwimmen zu 70 Prozent aus der Technik und zu 30 Prozent aus der Gesundheit besteht. Ich habe sogar gehört, das Argument, dass es so hoch wie achtzig/20, aber der Punkt ist, dass immer eine höhere Methode in den Pool geht, um die wichtigste Knall für den Dollar in Bezug auf die Verbesserung Ihrer schwimmen Geschwindigkeit sein.

Wenn es darum geht, im Wasser schnell voranzukommen, können wir das in zwei grundlegende Konzepte unterteilen: Verringerung des Widerstands und Steigerung des Vortriebs, in dieser Reihenfolge. Wenn Sie einen Schwimmhintergrund haben, haben Sie vielleicht schon ein gutes Stück in der Arena der Widerstandsverringerung getan, aber es gibt immer noch Dinge, die ergänzt werden können. Lassen Sie uns über die Betrachtung aller nicht ungewöhnlichen Vorzüge des Widerstands nachdenken (wir gehen davon aus, dass Sie, falls Sie ein Mann sind, die Boardshorts für einen Jammer oder ein Speedo weggeworfen haben, und falls Sie ein Mädchen sind, das Sie ein gesundes, zweckmäßiges und für den Rennsport konzipiertes Kleidungsstück gewählt haben).

Ich denke gerne so über den Widerstand nach: Welche Oberflächen biete ich dem Wasser auf der Strecke an? Ja, ich biete die Spitze meines Kopfes und meine Schultern an, aber biete ich auch meinen Oberkörper und meine Beine an, indem ich "bergauf" schwimme oder meinen Tritt ausbreite? Biete ich meine Handfläche an, wenn sie ins Wasser eintaucht? Kreuzen sich meine Handflächen beim Eintauchen in das Wasser über die Mittellinie, so dass mein Unterarm einen Widerstand erzeugt? Es gibt sogar noch nuanciertere Bereiche, die einen

Luftwiderstand erzeugen, wie z. B. ein unethisches Handgelenk oder ein Ellbogen, der zuerst abfällt, anstatt oben zu bleiben (hoher Ellbogen).

Als Nächstes müssen wir über die Antriebskomponente sprechen, und ich spreche jetzt nicht mehr von der Kardio oder der muskulären Geduld - dazu kommen wir noch. Ich spreche von dringendem Wasser gegenüber dem Weg einer Tour, und zwar so lange wie möglich. Wenn Sie sich Ihren Arm wie ein Ruder für ein Kanu vorstellen, wollen Sie das Ruder einsetzen, um das Wasser in Richtung des hinteren Teils des Bootes zu ziehen, aber allzu oft drücken Schwimmer das Wasser in Richtung des Beckenbodens und schieben aus diesem Grund Ihren Körper näher an die Decke, nicht mehr nach vorne.

Ich frage meine Schwimmer häufig: "In welche Richtung drückst du das Wasser?" Sind Ihre Ellbogen beim Einholen des Wassers übermäßig stark angewinkelt, so dass Ihr Unterarm an den Ellbogen hängt und Ihre Arme auf den Beckenboden zeigen? Schieben Sie das Wasser in der Mitte des Zugs in Richtung Ihrer Zehen oder zur Seite? Drücken Sie das Wasser am Ende des Zuges durch den unteren Rücken oder in Richtung Decke (schlecht), oder bewegen Sie das Handgelenk, um den Zug durch Aktivierung des Trizeps abzuschließen (präzise)?

Antrieb kann über eine Biegung in den Ellenbogen anstelle eines sofortigen Armzuges erhalten werden (auch wenn diese Armfunktion den Antrieb erhöht, hat die Forschung bewiesen, dass der Luftwiderstand viel besser ist). Schließlich, einige zusätzliche der nuancierten Objekte der Antrieb in trendy umfassen wachsen Ihre Standard-Schlaganfall Ladung, und stellen Sie sicher, dass Ihr Timing in optimiert (dh vorderen Quadranten Schwimmen).

Nachdem wir nun etwa 70 Prozent dieses Artikels mit der Herangehensweise an die Gleichung verbracht haben (Sie sehen, was ich da getan habe), lassen Sie uns über die Fitnesskomponente sprechen. Jedes Schwimmtraining muss ein Aufwärmen, einen ersten Satz und eine Abkühlung beinhalten, aber darüber hinaus muss der Hauptsatz viele Intensitäten haben, die sowohl schneller als auch langsamer als das Wettkampftempo sind (um am Wettkampftag schneller zu werden, müssen Sie im Training schneller schwimmen).

Als Nächstes müssen Sie ein paar Benchmark-Tests durchführen. Dieser Test kann so einfach sein wie 5x100 FAST mit 20 Sekunden Pause, was Ihnen eine Vorstellung davon gibt, wie "schnell" aussieht und welche Zeit damit verbunden ist.

Wenn also die 100er bei 1:45 ankommen, dann können die leichten 100er zusätzlich bei 1:50 ankommen. Und vielleicht können schnelle 50er in 50 Sekunden und schnelle 200er in 3:35 erreicht werden. Wenn man diese Fakten kennt, kann man die Zeit mit dem Gefühl für die Tiefe vergleichen. Und wenn die Übung sagt, dass du schnell laufen sollst, dann tu es!

Zusammenfassend lässt sich sagen, dass in jedem Schwimmtraining Platz ist, um auf die Methode zu achten, und das sollte in der Regel ein Schwerpunkt sein, aber wenn Sie Ihre Technik verbessern wollen, könnten Sie zusätzlich auf Sätze achten, die Intensitäten bieten, die über dem Wettkampftempo liegen könnten.

Erstes Kapitel

Grundfertigkeiten im Schwimmen

Schwimmen erfordert ein wenig Koordination. Du musst deine Arme und Beine im Tandem bewegen und deine Atmung und deine Schwimmzüge optimal aufeinander abstimmen. Zu den Schwimmfähigkeiten gehört auch das Eintauchen ins Wasser, um einen erstaunlichen, reibungslosen Start in den Schwimmstil zu erreichen.

Atmen Sie durch

Eine oft nicht beachtete Fähigkeit beim Schwimmen ist die Fähigkeit, die Atmung zu timen. Wenn Sie beim Schwimmen nicht mehr richtig atmen können, wird es Ihnen schwer fallen, saubere, koordinierte Bewegungen zu machen.

Die Hauptidee besteht darin, durch die Nasenlöcher und den Mund zu atmen, wenn der Kopf unter Wasser ist, dann den Kopf zur Seite zu heben und einen vollständigen Atemzug zu nehmen, bevor das Gesicht wieder unter den Boden gesenkt wird.

Üben Sie diese Bewegung, während Sie sich mit ausgestreckten Handflächen auf dem Beckenrand abstützen.

Gleiten lernen

Laut Starfish Aquatics Institute, einem landesweit anerkannten Anbieter von Lehrplänen für die Schwimmprüfung, ist das Gleiten durch das Wasser eine entscheidende Fähigkeit, die man beherrschen muss, noch bevor man sich an das Treten und Paddeln erinnert. Das Gleiten hilft Ihnen, sich an das Gefühl zu gewöhnen, sich kopfüber durch das Wasser zu bewegen.

Versuchen Sie, sich mit ausgestreckten Fingern vor dem Kopf sanft von der Beckenwand abzustoßen. Halten Sie den Kopf mit dem Gesicht nach unten im Wasser und gleiten Sie, bis Sie langsamer werden.

Koordinieren Sie Ihre Aktionen

Schwimmanfänger ertappen sich oft dabei, wie sie mit ihren Gliedmaßen unordentlich durch das Wasser hüpfen. Das ist in Ordnung. Es dauert eine Weile, bis man ein Gefühl dafür bekommt, seine Gliedmaßen im Takt zu bewegen. Sie sollten sich auch daran gewöhnen, die Muskelmasse im unteren Rücken, im Bauch und in den Hüften dazu zu nutzen, Sie vorwärts zu treiben.

Versuchen Sie außerdem, Ihre Beine hinten am Körper hochkommen zu lassen und eine schlanke, stromlinienförmige Form beizubehalten. Mit der Zeit verringert sich dadurch der Luftwiderstand im Wasser und Sie werden ein effizienterer Schwimmer.

Lernen Sie die Striche

Sobald Sie die grundlegenden Schwimmfähigkeiten sicher beherrschen, ist die Beherrschung eines bestimmten Schwimmstils Ihr nächstes Projekt. Brustschwimmen erfordert zwar kaum mehr Koordination als Kraulen, ist aber ein solider, leichter Schlag, der sich am besten für Anfänger eignet.

Für das Brustschwimmen müssen Sie gerade an der Wasseroberfläche bleiben und dabei den Kopf oben halten. Ziehen Sie die Handflächen zusammen, sodass sich die Finger fast berühren. Wenn die Arme die Brust erreichen, beugen Sie die Knie und heben Sie die Füße in einer froschähnlichen Form an, wobei die Fußsohlen zu jeder Seite zeigen.

Stoßen Sie sich mit den Beinen ab und greifen Sie gleichzeitig mit den Handflächen nach vorne. Dieser doppelte Vortrieb muss Ihnen helfen, durch das Wasser zu schwimmen.

Sofort eintauchen

Das Tauchen im Schwimmbecken ist eines der wichtigsten Schwimmtalente - auch wenn es außerhalb des Wassers beginnt. Üben Sie das Tauchen immer in einem tiefen Becken mit einem diensthabenden Rettungsschwimmer. Wenn Sie mit dem Tauchen beginnen, sollten Sie Ihre Finger über dem Kopf zusammenführen und Ihren Körper sanft nach vorne ins Wasser rollen, bis Sie mit dem Kopf voran ins Wasser fallen.

Wenn Sie Fortschritte machen, versuchen Sie, kaum zu springen und die Beine beim Tauchen nach hinten zu strecken, um sanft ins Wasser einzutauchen.

Beseitigen Sie schlechte Gewohnheiten, um besser zu schwimmen

Vermeiden Sie von Anfang an ein schlechtes Verhalten beim Schwimmen. Schwimmen unterscheidet sich vom Laufen oder Radfahren, weil es die am stärksten methodenabhängige der 3 Disziplinen ist. Beseitigen Sie Gewohnheiten von Anfang an, um Ihre Schwimmfähigkeiten zu verbessern. Und der Schlüssel zur Beseitigung schlechter Schwimmgewohnheiten ist, sie von vornherein zu vermeiden.

Erwäge, einen Schwimmtrainer zu engagieren. Ein guter Schwimmtrainer kann deine Schwimmkarriere in die richtige Richtung lenken. Ihr Trainer vergleicht Ihr derzeitiges Niveau, baut Ihre Grundlagen auf, bringt Sie auf einen stabilen Weg und hilft Ihnen dabei, dass Sie sich kein schlechtes Verhalten aneignen. Und schlechte Verhaltensweisen sind beim Schwimmen leicht anzusammeln, aber sehr schwer zu ersetzen.

Man kann versucht sein, sich einige Online-Filme anzusehen und den Weg des Do-it-yourself zu gehen. Der Unterschied beim Schwimmen ist jedoch die Propriozeption - Ihr eigenes Gefühl für die Position Ihrer Gliedmaßen und Ihres Rumpfes sowie für die Art und Weise, wie sich Ihr Körper bewegt. Beim Radfahren und Laufen ist die Propriozeption korrekt, aber im Wasser, wo es keine Rückmeldung über die Schwerkraft gibt und man sich selbst kaum sehen kann, ist die Propriozeption eingeschränkt. In den frühen Tagen, als olympische Schwimmer gefilmt wurden und man ihnen ihren eigenen Schwimmstil zeigte, war ein allgemein geäußertes Wort der Schwimmer, selbst als sie ihren eigenen Film sahen, "Ich versuche das nicht." Ihr Trainer wird sich Ihren Schwimmstil ansehen, Ihnen Kommentare geben, Ihnen das Video Ihrer Technik zeigen und Sie in Ihrer Entwicklung unterstützen. Und nein, ein paar Freunde oder ein anderer Sportler, der ein guter Schwimmer ist, ist wahrscheinlich nicht immer ein guter Ausbilder. Menschen, die in jungen Jahren das Schwimmen für sich entdeckt haben, können gute Schwimmer sein, aber sie können dir oft nicht sagen, was du tun musst, um ein guter Schwimmer zu werden.

Schwimmen Sie häufig. Das mag zwar offensichtlich klingen, aber im Schwimmen wie in den anderen Disziplinen ist die Häufigkeit (mit der richtigen Form) wichtiger als alles andere. Wenn Sie nur 500 oder 1.000 Meter schwimmen könnten, würden Sie vielleicht sagen: "Ach, dafür lohnt es sich nicht, nass zu werden." Ein kurzes Schwimmen ist oft besser als ein langes Schwimmen. Manche Athleten versuchen, eine Serie zu schwimmen - 20 oder 30 Tage hintereinander zu schwimmen. An den Ruhetagen sollten Sie 15 Minuten lang leichte Schwimmübungen machen, einfach um den Kontakt mit dem

Wasser zu erhalten und Ihre Maschine mit dem Schwimmen vertraut zu machen.

Warten Sie auf die Geschwindigkeit. Schnelles Schwimmen wird langsam kommen. Habt Geduld. Arbeiten Sie an der Technik. Bleiben Sie bei Ihrem Trainingsansatz. Deine Geschwindigkeit wird sich mit der Zeit steigern, und nicht jede Schwimmeinheit wird besser sein als die letzte. Wenn Sie in einer Schwimmschule schwimmen, informieren Sie die Lehrkraft an Deck über Ihr Schwimmniveau und bitten Sie sie, ein Auge auf Ihre Form zu haben, Ihnen Tipps zu geben und Sie in die richtige Bahn zu bringen.

Schwimmen Sie, wenn Sie keine Lust dazu haben. Von all den schrecklichen Verhaltensweisen, die man beim Schwimmen an den Tag legen kann, ist es vielleicht die schlimmste, Trainingseinheiten zu verpassen. Widerstehen Sie dem Drang, auf das Schwimmen zu verzichten. Es gibt Zeiten, in denen du einfach keine Lust zum Schwimmen hast. Du hattest eine harte Trainingseinheit, die noch zu schwimmen war. Dein Trainer hat dir Übungen gegeben, die du nur schwer ausführen konntest. Sie sind ein bisschen erschöpft. Die Fahrt zum Schwimmbad stellt ein Hindernis dar. Hier ist eine Möglichkeit, zum Schwimmbad zu kommen:

Stellen Sie sich in Gedanken vor, wie Sie sich nach dem Training im Schwimmbad fühlen. Nehmen Sie das Gefühl wahr, das Sie in diesem Moment empfinden. Nehmen Sie eine kleine Prise dieses Gefühls auf. Sagen Sie sich jetzt: "Wie werde ich mich später fühlen, wenn ich dieses Training bestanden habe?" Wenn die Lösung weniger überzeugend ist als das Gefühl, fertig zu werden, stehen Sie auf und gehen Sie weiter.

Das Üben von Zusatzbewegungen mit Hilfe eines Kickboards kann Sie auf Ihrem Weg zu einem besseren Schwimmer voranbringen.

Das Abhängen am Pool oder das Spielen am Strand macht viel mehr Spaß, wenn man ohne Zweifel im Wasser ist. Und ganz gleich, ob Sie zum Spaß oder zum Sport schwimmen, ein paar einfache Änderungen an Ihrem Schwimmstil werden sowohl Ihre Schwimmfähigkeiten als auch Ihre Freude am Schwimmen erheblich steigern.

Sie werden nicht nur schneller und effizienter durchs Wasser gleiten, sondern auch weniger ermüden, fitter werden und

Frustrationen vermeiden können. Lesen Sie weiter, um Ihren Freistilschlag zu verbessern.

1. Einmauern

Wie alles andere auch, braucht es Zeit und Übung, um ein besserer Schwimmer zu werden.

Wenn Sie nicht gerade am Meer wohnen, sind Sie wahrscheinlich seit dem letzten Sommer nicht mehr geschwommen, also nehmen Sie sich etwas Zeit und setzen Sie sich realistische Erwartungen. "Eine gute Kondition lässt sich nicht immer auf das Schwimmen übertragen", sagt Robbin White, Mitbegründer des Starfish Aquatics Institute.

"Ich habe mit weltbesten Triathleten und Marathonläufern gearbeitet, die langsam mit dem Wasser anfangen mussten." White zeigt, wie man auf dem Rücken oder auf dem Bauch schwimmt, um sich mit dem Gefühl der Schwerelosigkeit vertraut zu machen, wie man mit Schwimmflossen durch das Wasser gleitet und wie man einen Schnorchel trägt, um sich voll und ganz auf seine Züge konzentrieren zu können.

2. Richtig atmen

Es ist wichtig, dass Sie lernen, beim Schwimmen richtig zu atmen.

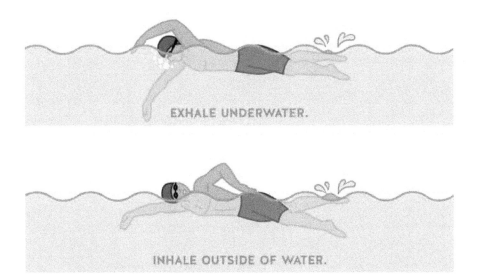

EXHALE UNDERWATER.

INHALE OUTSIDE OF WATER.

Wahrscheinlich machen Sie sich nicht viele Gedanken darüber, wie Sie die meiste Zeit atmen. Aber beim Schwimmen ist die

Atmung ein bewusster, absichtlicher Akt, der Ihren Schwimmstil durcheinander bringen kann, wenn Sie ihn nicht richtig ausführen. Die einfache Regel lautet: Außerhalb des Wassers einatmen, unter Wasser ausatmen. Das letzte Element ist das schwierigste (offensichtlich).

Gewöhnen Sie sich im flachen Teil des Schwimmbeckens an das Gefühl, Blasen unter Wasser zu pusten. "Atmen Sie sanft mit der Nase und dem Mund aus, drehen Sie dann den Kopf zur Seite und atmen Sie am besten durch den Mund ein", sagt Jennifer Harrison, eine Triathlon-Trainerin aus Chicago. "Diese Bewegung sollte rhythmisch und im Takt mit Ihren Zügen erfolgen." Versuchen Sie nie, ein- und auszuatmen, während Ihr Gesicht aus dem Wasser rollt, sonst kommen Sie schnell in die Puste.

3. Weit ausholen

Strecken Sie sich auch beim Schwimmen weit nach vorne aus.

REACH OUT FAR & ROLL YOUR
HEAD TO THE OPPOSITE SIDE TO INHALE.

Wenn Sie jeden Arm vor sich ausbreiten, strecken Sie ihn so weit wie möglich. Das hilft Ihnen wirklich, besser zu atmen, sagt Jenn Tyler, Inhaberin von Happy Swimmers. "Wenn Sie zum Beispiel mit der richtigen Hand eine gewisse Strecke zurücklegen, wird sich Ihr ganzer Körper nach links drehen, was es weniger schwierig macht, den Kopf zu drehen und einzuatmen."

4. Halten Sie Ihren Körper in Form

Halten Sie Ihren Körper beim Schwimmen in einer Linie.

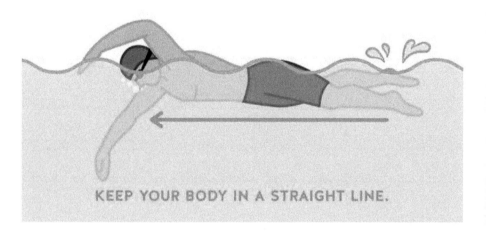

KEEP YOUR BODY IN A STRAIGHT LINE.

"Wenn Sie Ihren Kopf über der Wasserlinie tragen, schieben Sie das Wasser vor sich her und Ihr ganzer Körper beginnt zu sinken, was zu einem nutzlosen Widerstand führt", sagt Tyler. Halten Sie Ihren Körper stattdessen so gerade wie möglich, wobei Ihr Kopf in einer Linie mit Ihren Schultern und Hüften liegt.

Stellen Sie sich vor, dass Sie "groß" durch das Wasser schwimmen. "Vielleicht möchten Sie auch, dass ein Freund Sie beim Schwimmen im Becken filmt, damit Sie wissen, wie Sie aussehen", sagt Harrison. "Anders als im Fitnessstudio, wo es überall Spiegel gibt, kann man sich beim Schwimmen nicht sehen."

5. Kick aus der Hüfte

Beim Schwimmen aus der Hüfte kicken.

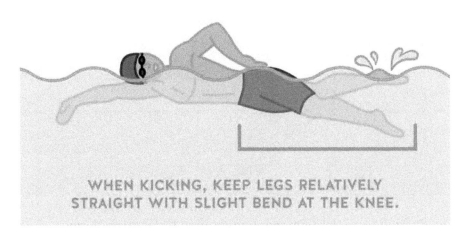

WHEN KICKING, KEEP LEGS RELATIVELY
STRAIGHT WITH SLIGHT BEND AT THE KNEE.

Beim Freistilschwimmen bewegen sich Ihre Beine auf und ab, während Sie sich durch das Wasser bewegen. Um dies zu tun, ohne zu ermüden, halten Sie Ihre Beine nahe beieinander und treten Sie aus der Hüfte. Halten Sie die Beine ziemlich gerade, mit nur einer mäßigen Beugung der Knie. (Kicken Sie nicht aus den Knien, als ob Sie einen Fußball kicken würden.) Wenn Sie während der Bewegung leicht auf den Po drücken, hilft Ihnen das, die richtige Muskelmasse für den Hüftkick anzuspannen.

6. Die Zehen zeigen

Beim Schwimmen die Füße gleichmäßig ausrichten

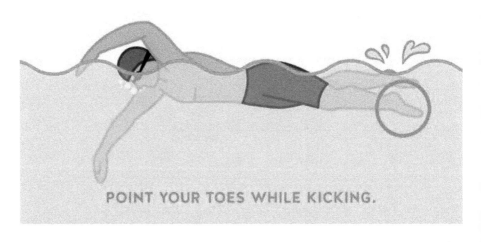

POINT YOUR TOES WHILE KICKING.

"Die zufriedenen Schwimmer zeigen ihre Füße auch beim Abstoßen", sagt Harrison. "Wenn Sie Ihre Füße beugen, ziehen Sie nur durch das Wasser." Es ist einfacher, die Zehen zu strecken, wenn man kräftige Waden hat, deshalb sollte man sowohl in der Sporthalle als auch zu Hause eine Reihe von Wadensportarten ausüben.

Versuchen Sie es mit einem einfachen einbeinigen Wadentraining: Stellen Sie sich auf ein Bein und halten Sie sich gleichzeitig an einem stabilen Stuhl fest, und heben und senken Sie Ihren Körper langsam, indem Sie die Ferse des Standbeins anheben. Machen Sie drei Sätze von 10 Wiederholungen pro Bein ein paar Mal pro Woche.

7. Brustkorb nach unten drücken

Drücken Sie beim Schwimmen die Brust nach unten.

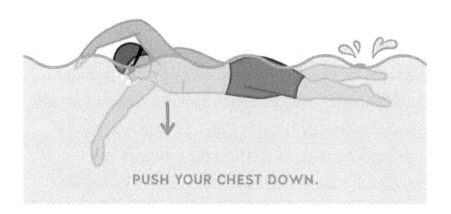

PUSH YOUR CHEST DOWN.

Da das Wasser selbst Ihren Körper führen soll, "müssen Sie ständig das Gefühl haben, dass Sie bergab schwimmen", sagt Harrison. Um das zu erreichen, sollten Kopf und Rumpf nur ein wenig tiefer im Wasser liegen als die Hüften. Spielen Sie damit, wie weit Sie Ihren Brustkorb nach unten drücken; es muss einen Punkt geben, an dem Sie das Gefühl haben, mit viel weniger Widerstand durch das Wasser zu gleiten.

Wie oft sollten Sie Schnelligkeitstraining in Ihr Training einbeziehen, um maximale Ergebnisse zu erzielen?

Wie oft sollten Sie Schnelligkeit und Beweglichkeit trainieren?

Um die Frage "Wie oft sollte man Schnelligkeit und Beweglichkeit trainieren?" wirklich zu beantworten, ist die schnelle Antwort, dass man sich 4 Tage pro Woche Zeit nehmen sollte, wenn man ein Athlet ist. Das bedeutet, dass zwei Tage der Schnelligkeit und zwei Tage der Beweglichkeit gewidmet sind, oder Sie können in letzter Zeit eine Kombination aus Schnelligkeits- und Beweglichkeitstraining für die gesamten 4 Tage durchführen. Schließlich gehen Schnelligkeitstraining und Beweglichkeitsschulung Hand in Hand. Der ausgezeichnete Aspekt der annähernden Ausbildung für entweder Geschwindigkeit oder Beweglichkeit ist, dass Sie in der Lage sind, in einem kompletten Körper Training zu erhalten, wie Sie für Dinge wie Geschwindigkeit Agilität und Schnelligkeit trainieren.

Wie oft pro Woche und für wie lange?

Als Sportler wissen Sie, dass das Training nie aufhört. Egal, ob Sie ins Fitnessstudio gehen, um zu laufen, Gewichte zu heben oder um Ihre sportliche Leistung zu verbessern, es gibt immer etwas, woran Sie arbeiten. Was die Vorbereitung auf eine bestimmte Sportsaison angeht, so ist es gut, mit dem Training für dieses Spiel mindestens Monate im Voraus zu beginnen, um sich selbst zu kontrollieren. Ein Training für Schnelligkeit und Beweglichkeit wird in der Regel 4 Mal pro Woche empfohlen, um Ihren Körper zu akklimatisieren und das Muskelgedächtnis zu erweitern. An einigen Tagen kann man auch härter trainieren als an anderen, aber der wichtigste Aspekt der Entwicklung ist die Beständigkeit. Indem Sie vier Tage pro Woche trainieren, machen Sie Ihren Körper mit positiven Bewegungen vertraut, so dass Sie sich anpassen können. Wenn du nur einmal pro Woche trainieren würdest, bräuchte dein Körper viel länger, um die Fortschritte, die du machst, aufrechtzuerhalten.

Die Wichtigkeit einer korrekten Technik

Beim Training ist es sehr wichtig, zwischen den Übungen Pausen einzulegen. Dies gilt zwar für jede Art von Training, aber Schnelligkeits- und Beweglichkeitsübungen sind besonders intensiv, da sie Ihren Körper über seine bisherigen Grenzen hinaus belasten. Häufige Entspannungspausen garantieren, dass Sie in der Lage sind, das Training länger durchzuhalten. Auf diese Weise vermeiden Sie auch die so genannte zentrale Angstmüdigkeit. Wenn Sie versuchen, intensiv zu trainieren, ohne zwischendurch eine Pause einzulegen, werden Sie feststellen, dass Ihr Körper viel schneller ausbrennt. Besonders im Hinblick auf das Tempotraining ist es wichtig, dass Sie in Form von schnellen Sprints lernen, schneller zu laufen. Über einen längeren Zeitraum hinweg werden Sie feststellen, dass Ihnen diese Sprints immer leichter fallen. Langsam können Sie diese in längere Sprints umwandeln. Dies wird durch Entspannungsphasen ermöglicht.

Schwimmen im Freien und Freiwasserschwimmen

Die Vorteile

Freiwasser- oder "wildes" Schwimmen - Schwimmen in Seen, Flüssen, Teichen und Ozeanen - erfreut sich immer größerer Beliebtheit, was auf die langjährige Teilnahme an Triathlons und die wachsende Präsenz in den sozialen Medien zurückzuführen ist. Die Vielfalt der Menschen, die in blutleeren Gewässern schwimmen - grob definiert als Wasser unter 70°F - und "Winter-" oder "Eisschwimmen" - beschrieben als Wasser unter 41°F - hat ebenfalls zugenommen.

Regelmäßige Schwimmer im blutleeren Wasser berichten von besserer Stimmung, mehr Kraft, einem besseren Kreislauf und weniger Erkältungen und Entzündungen. Ich selbst habe all diese Segnungen und noch mehr erlebt. Es gibt zwar nur wenige Studien über die genauen Vorteile für die körperliche

Gesundheit, aber mehrere vielversprechende Studien haben festgestellt, dass das Schwimmen im offenen Wasser das allgemeine Wohlbefinden und die geistige Fitness verbessert - insbesondere eine Studie des British Medical Journal über die Fähigkeit des Schwimmens, depressive Störungen zu behandeln.

Die Risiken

Kaltwasserschwimmen ist ein intensives Spiel, das Training und Vorsicht erfordert. Neben den vielen potenziellen Vorteilen gibt es auch reale Risiken, wie z. B. den Tod, derer sich jeder Schwimmer (und auch Ruderer, Kajakfahrer und Bootsfahrer) bewusst sein sollte. Der Kälteschock ist eine Reaktion des Körpers auf das plötzliche Eintauchen in kaltes Wasser und führt zu unkontrolliertem Keuchen und Hyperventilation, was zum plötzlichen Ertrinken führen kann.

Es besteht auch die Möglichkeit einer Beschleunigung der Herzfrequenz und des Blutdrucks, was zu einem Herzinfarkt oder Schlaganfall führen kann. Der Schweregrad der Reaktion hängt von Ihrer Gewöhnung an blutleeres Wasser, Ihrem Körperfett und Ihrer allgemeinen Gesundheit ab. Nach Angaben des National Center for Cold Water wird die Kontrolle der Atmung in Wasser unter 70°F zunehmend schwieriger, und die Gefahr eines Kälteschocks ist in Wasser unter 60°F übermäßig groß.

Der Adrenalinstoß, der aus der Kampf-oder-Flucht-Reaktion des Körpers auf kaltes Wasser resultiert, kann auch akute Angstzustände oder sogar Panikattacken auslösen, die das Risiko des Ertrinkens erhöhen können. Wenn Sie neu in diesem Bereich sind, ist es wichtig, langsam anzufangen und Ihre Toleranz regelmäßig zu erhöhen, wie ich es getan habe und darüber geschrieben habe, als ich mich der Sorge stellte und mich auf eine Meile Freiwasserschwimmen einließ.

Besonders vorsichtig sollten Sie sein, wenn Sie Herz- oder Atemwegserkrankungen (zusammen mit Asthma) oder einen hohen Blutdruck haben. Besprechen Sie die Risiken mit Ihrem Arzt, bevor Sie zum ersten Mal schwimmen gehen. Dennoch werden viele Menschen, die es versuchen, schnell süchtig.

So bereiten Sie sich auf das Freiwasserschwimmen im Pool vor

Sie haben keinen Zugang zum offenen Wasser? Sie können alle diese Freiwasser-Schwimmübungen in Ihrem Schwimmbad in der Nähe durchführen.

Die meisten Triathleten haben keinen so leichten Zugang zu offenen Gewässern, um dort zu trainieren. Sei es wegen der winterlichen Temperaturen und des gefrorenen Wassers, wegen verschmutzter oder riskanter Bedingungen, wegen der starken Frequentierung durch Motorboote oder einfach wegen des Mangels an nahegelegenen Möglichkeiten für das Freiwassertraining.

Anstatt sich damit zu begnügen, für die Wettkampfsaison schlecht organisiert zu sein oder sich selbst in Gefahr zu bringen, indem man versucht, in falschen Gewässern zu unterrichten, sollten Sie bei Ihrem nächsten Schwimmen einige dieser Ausbildungshinweise beherzigen.

Flip auf dem T

Bei einem normalen Schwimmset ist jede Wand ein Risiko, um sich auszuruhen, zu entspannen und sich vor der nächsten Runde zu erholen. Im Freiwasser gibt es jedoch nicht alle 25 oder 50 Meter eine Wand. Eine Möglichkeit, sich zu sammeln, besteht darin, eine längere Strecke (500 bis tausend Meter) zu schwimmen, ohne die Wand zu berühren. Anstatt sich an der

Wand zu drehen und sich mit den Beinen abzustoßen, drehen Sie sich auf dem T (am Ende der Unterwasser-Bahnmarkierung) oder fünf Zehen vor der Wand um. Du verlierst deinen gesamten Vorwärtsschwung und bist gezwungen, deine Beine und Arme einzusetzen, um wieder in Bewegung zu kommen. Aber Vorsicht! Das kann deine Schultern belasten, also benutze auch deine Beine, um dich aufzurichten, wenn du dich umdrehst. Wie bei allen Aktivitäten sollten Sie es nicht übertreiben.

Sichten Sie Ihren Coach

In meinen ersten Monaten als Schwimmtrainer habe ich beobachtet, warum die Trainer ständig auf dem Pooldeck herumlaufen. In der Regel geht es darum, sich mit Schwimmern auf anderen Bahnen zu unterhalten, gelegentlich aber auch einfach nur, um sich warm zu halten oder zur privaten Unterhaltung. Nutzen Sie diese zufällige Bewegung zu Ihrem Vorteil: Stellen Sie sich vor, Ihre Bahn sei eine große, orangefarbene, aufgeblasene Boje. Üben Sie während einer Übung, Ihre Bahn anzusteuern. Heben Sie den Kopf nach vorne, suchen Sie den Horizont nach der Boje ab, drehen Sie den Kopf zur Seite, um Luft zu holen, und schwimmen Sie dann weiter. Machen Sie dies nicht öfter als fünfmal pro Runde (25 Meter).

Wasserball-Drill

Wasserballspieler scheinen keine Schwierigkeiten zu haben, mit dem Kopf aus dem Wasser zu schwimmen - das ist Teil des

Sports. Nehmen wir also eine Seite aus ihrem E-Book und unterrichten wir mit dem Kopf aus dem Wasser. Es gibt viele Gründe, warum Sie dies in einer echten Freiwassersituation tun sollten (kalte Temperaturen, Zehen im Gesicht, schwer zu findende Bojen usw.). Schwimmen Sie die gesamte Runde mit dem Kopf nach oben (z. B. 6 x 25 m). Drehen Sie Ihren Kopf zum Atmen nicht zur Seite, das ist Betrug! Dies ist eine hervorragende Methode, um Energie für den Nacken aufzubauen und sich bewusst zu machen, wie der untere Teil des Körpers sinkt, während der Kopf angehoben ist. Wenn Sie diese Übung mit kleinen Paddeln durchführen, ist das ein zermürbendes Krafttraining, das jedoch viel Druck auf die Rotatorenmanschette ausübt, also übertreiben Sie es nicht.

Delphin-Tauchgang

Ich habe nicht nur Zugang zu mehr Seen, als mir bewusst ist, was ich damit anfangen soll, sondern ich bilde auch in einem Schwimmbad aus, das keinen Zugang mehr hat. Der Boden des Beckens fällt stetig bis zum Deck ab, ähnlich wie ein Strand. Hier habe ich tatsächlich die Möglichkeit, Delphintauchen zu üben. Sie können auch das flache Becken oder das Kinderbecken benutzen. Aber Vorsicht! Vergewissern Sie sich, dass Sie mit der Intensität des gesamten Bereichs, den Sie nutzen, vertraut sind, und führen Sie beim Tauchen immer mit den Fingern nach unten, um Ihren Kopf und Hals zu schützen.

Hypoxische Atmung

Die Bedeutung der Lungenkapazität wird regelmäßig außer Acht gelassen. Offenes Wasser kann sehr viel weniger einschüchternd wirken, wenn man für längere Zeit die Luft anhalten kann oder sich wohlfühlt, wenn man nicht alle drei Züge die Luft ansaugt. Situationen wie die Kaltwasserüberraschung, Spritzwasser oder das Eintauchen in die Boje sind während einer Veranstaltung nicht ungewöhnlich. Die Arbeit an einem hypoxischen Atmungsmuster oder die allmähliche Erhöhung der Anzahl der Züge, die Sie zwischen den Atemzügen machen, ist eine großartige Möglichkeit, sich auf einige dieser Situationen vorzubereiten. Ein Beispiel dafür ist ein 5x100m-Satz, bei dem Sie in der ersten Runde alle drei Züge atmen, in der zweiten Runde alle fünf Züge, in der dritten Runde alle sieben Züge und in der letzten Runde alle 9 Züge (oder gar nicht).

In der Mitte drehen

Selten gibt es bei einem Triathlon oder Freiwasserschwimmen eine 180-Diplom-Wendung auf der Strecke, da es keine gute Idee ist, die Schwimmer frontal in Richtung der Konkurrenten zu schicken. Daher sind 90-Diplom-Wendungen die Norm. Stellen Sie sich eine Boje in der Mitte Ihrer Bahn vor, schwimmen Sie darauf zu und machen Sie einen U-Sprung um sie herum. Du kannst einen Teamkollegen als Boje benutzen, eine aufgeblasene Boje mitnehmen, eine Markierung auf dem Beckenboden verwenden oder einfach deiner Fantasie freien Lauf lassen. Das Wichtigste ist: Übe deine Drehungen! Machen

Sie auch ein paar 180-Grad-Drehungen - es kann weh tun, wenn man zu gut vorbereitet ist!

Drei Weit

Die meisten Schwimmbahnen sind nur ein paar Meter breit. Das ist gerade genug Platz, um dich und 2 Teamkollegen Seite an Seite einzupferchen. Machen Sie schnell 6x25m-Einheiten, wobei Sie tauschen, in welcher Position absolut jeder beginnt. Der mittlere Platz ist am lustigsten und sollte umkämpft werden.

Entwerfen

Hier beginnt der Spaß! Nehmen Sie einen erweiterten Satz, z. B. 300er oder 400er Wiederholungen, und setzen Sie Schwimmer mit ähnlichen Fähigkeiten auf die gleichen Bahnen. Jeder Schwimmer muss mit einer Sekunde Abstand starten, im Wesentlichen einer nach dem anderen, und versuchen, dem Führenden dicht auf den Fersen zu sein. Vergessen Sie nicht, nach jedem Intervall zu tauschen, wer die Bahn anführt.

Wie man sie einsetzt

Diese lustigen und anspruchsvollen Übungen können in ein regelmäßiges Schwimmtraining integriert werden. Nach einer Weile kann die Ausbildung im Schwimmbad ein wenig eintönig werden (insbesondere nach 20 Jahren) und alles, was die Langeweile auflockert, ist eine willkommene Abwechslung.

Diese Übungen geben Ihnen nicht nur einen leichten mentalen Auftrieb, sie bereiten Sie auch auf Ihren ersten, zweiten oder hundertsten Triathlon vor. Seien Sie bei Ihren Übungen kreativ, authentisch und einfallsreich. Dies sind nur ein paar Vorschläge, um Ihre persönlichen Trainingsideen zu fördern. Kombinieren Sie ein paar Übungen (wie Three Wide und Wasserball), um jeden zweiten Tag im Schwimmbad besonders angenehm zu gestalten. Denken Sie daran, das Wichtigste ist, dass Sie sich sicher und vorbereitet fühlen, wenn Sie an der Startlinie stehen.

Zweites Kapitel

Einführung in die Antriebstechnik

Zwei Schlüsselfaktoren für schnelles Schwimmen sind die Verringerung des Luftwiderstands und die Steigerung des Vortriebs im Wasser. Sobald Sie sich mit den spezifischen Techniken zur Verringerung des Luftwiderstands [lesen Sie hier Teil 1: "Ihre Einführung in den Luftwiderstand"] und zur Verbesserung der Stromlinienform befasst haben, ist es an der Zeit, sich mit dem Vortrieb zu befassen. Der Vortrieb wird in erster Linie durch die Arbeit an der Schlagmechanik verbessert, um danach eine effiziente Kraftausübung auf dem Wasser zu erreichen. Das Zusammenspiel von Körperstabilität, Stromlinienform und geeigneter Schlagmechanik führt zu schnellerem Schwimmen. Hier sind die 4 besten Ideen zur

Verbesserung des Vortriebs und 6 Übungen, die Sie in Ihr Schwimmtraining einbauen können.

Grundsätze zur Steigerung der Antriebskraft

Nr. 1: Hoher Ellbogen

Die Funktion des übermäßigen Ellenbogens bezieht sich auf 2 Phasen des Freistilschwimmens: Der hochgezogene Ellbogen in der Phase der Wiederherstellung (während der Arm aus dem Wasser ist) und in der Fangphase (die ersten 0,33 Sekunden der Unterwasserzugphase) des Schwungs.

Eine überhöhte Ellenbogenposition zu einem bestimmten Zeitpunkt im Heilungsabschnitt des Schwimmstils, bei der der untere Arm senkrecht zum oberen Arm hängt, ist der bevorzugte Ansatz, da er viel weniger Anstrengung erfordert und die Erhaltung der Körperausrichtung erleichtert. Ein hoher Ellenbogen hilft dem Athleten normalerweise dabei, einen hervorragenden Handeinsatz zu haben, der direkt mit der Schulter ins Wasser geht. Wenn die Ellbogenfunktion nicht immer übermäßig ist, besteht die Gefahr, dass die Hand zu nahe an der Spitze oder über die Mittellinie des Rahmens ins Wasser kommt.

Während des Fangabschnitts des Schlags bietet die frühe Ellenbogenbeuge unter Wasser eine große Zugfläche und leitet die Rekrutierung der großen Rückenmuskeln ein, die ein Vielfaches an Energie liefern. Der hochgezogene Ellbogen ist der

Schlüssel für die Zugphase des Schlaganfalls, in der der
Unterarm und die Hand nach hinten in Richtung der Rückwand
gerichtet sind. Wenn der Ellenbogen abgeworfen wird, werden
die Kräfte nach unten gedrückt (weil Unterarm und Hand zum
Beckenboden zeigen). Dies wirkt sich negativ auf die Stabilität
und die Kraft aus.

Nr. 2: Den Kern einbeziehen

Wenn der hohe Ellbogengriff mit dem ziehenden Arm im
Wasser ausgeführt wird, stellt er einen Verankerungsfaktor dar,
von dem aus das Zentrum dann die Vortriebskraft einleiten
kann. Der Einsatz des Muskelgewebes des unteren Rückens, der
Hüfte und des Rumpfes in Synergie mit dem Armmuskelgewebe
ermöglicht es, bei jedem Schlag zusätzlichen Druck auszuüben
und führt außerdem zu einer geringeren Ermüdung der Arme.
Je mehr Druck ausgeübt wird, desto höher ist die
Schlagfrequenz. Wenn die mittleren Muskelgruppen nicht aktiv
sind, verliert der Körper seine Fähigkeit, sich torpedoförmig und
in einer Linie über das Wasser zu bewegen. Dann stellt sich die
Frage, wie man die Körpermitte anspannen kann. Eine
aufrechte Haltung im Wasser, das Dehnen durch die Mitte
zwischen Brustkorb und Becken, das Schützen des Bauchnabels
und das leichte Anspannen der Gesäßmuskelgruppen (Po)
helfen, die notwendige Muskelmasse zu aktivieren.

Nr. 3: Hüftrotation und Antrieb

Die Hüften sind Teil der Mitte und sie sind der vorwärts treibende Druck im Freestyle, anstatt einfach ein Teil des Körpers zu sein, der sich dreht. Der Schlüssel ist die Verbindung, die den Rumpf, die Hüften und die Schultern auf verschiedenen Ebenen an einem bestimmten Punkt des Schlags umfasst. Der Rahmen muss sich über die lange vertikale oder imaginäre Achse drehen, die von den Zehen bis zur Spitze verläuft. Wenn diese Verbindung des gesamten Rahmens von den Fingerspitzen bis zum Hintern stattfindet, arbeiten sie daran, den Rahmen vorwärts zu treiben.

Der Zeitpunkt der Hüftdrehung sollte knapp vor der Schulterdrehung liegen, so dass die Heilung des linken Arms erfolgt, wenn sich der Körper nach links dreht. Dieses Timing kann auch mit der richtigen Seite gleich sein. Wenn die Geschwindigkeit der Drehung zunimmt, wird Schwung gewonnen und es kommt zu einer Stromübertragung, die dazu beiträgt, einen stabilen Rhythmus und Strom für den Schlag zu erzeugen. Dies ist nicht vergleichbar mit einem Fußballspieler, der einen Ball wirft. Der effektive Wurf wird eingeleitet, indem die aus der Hüftrotation gewonnene Kraft in die Schulter übertragen wird, bevor der Ball losgelassen wird. Dabei ist zu bedenken, dass der Arm und die Hand eine Verlängerung der zusammenhängenden Rahmenbewegung sind, die hier stattfindet.

Viele Sportler haben eine bevorzugte Seite, auf der sie atmen. Eine geschmeidige Atmung auf jeder Seite wird dazu beitragen, die geeignete Rotationssymmetrie und die Drehung um die Längsachse zu erweitern. Es ist nicht immer ungewöhnlich, dass Schwimmer mit einer ausreichenden Körperdrehung auf ihrer schwachen Seite in Konflikt geraten. Eine unzureichende Rotation führt dazu, dass der Schwimmer flach im Wasser schwimmt, was den Luftwiderstand an der Stirnseite erhöht und letztlich die Dauer des Schwimmzugs vorgibt. Ein Schwimmer, der sich richtig um seine Längsachse dreht, kann die notwendige Schulterrotation einbeziehen, die für den Heilungs- und Greifabschnitt (wenn die vordere Hand unter Wasser nach vorne greift) des Schwimmzugs entscheidend ist. Wenn man in der Lage ist, im Wasser ähnlich zu greifen, erleichtert dies das frühe Einfangen und eine größere Wassermenge, die für die Dauer der Zugphase verdrängt werden kann. [Lesen Sie hier mehr zum Thema "Gleiten oder Greifen".]

Nr. 4: Der Kick

Man muss sich vor Augen halten, dass die Rotation über die Längsachse erfolgt, die durch den gesamten Körper verläuft, und dass ein effizienter und richtig getimter Abstoß dazu beiträgt, die Rotation des Körpers zu verbessern, um sowohl die Zug- als auch die Rückholarme zu belasten. Obwohl die besten Schwimmer der Welt nur etwa 10 Prozent ihrer Geschwindigkeit aus dem Abstoß generieren, sind die Verbindung der kinetischen Kette, der Rhythmus und der konstante Vortrieb, die sich aus einem effizienten Abstoß ergeben, das Wichtigste.

Ein ineffizienter Abstoß führt dazu, dass die Beine und der Körper absinken und der Schwimmer Mühe hat, eine stromlinienförmige Position zu halten.

Vortriebsübungen für schnelleres Schwimmen

Hier sind die besten Übungen, die Ihnen helfen werden, diese Standards in der Praxis anzuwenden. Ich empfehle, alle Übungen außer der Faustübung (Nr. 6) jeweils mit und ohne lange Flossen zu absolvieren.

1. Seitliches Kicken mit Rotation (6-1-6 und 6-drei-6 Übung): Die 6-1-6-Übung beginnt in der verlängerten Seitenstabilitätsposition mit ausgestrecktem Unterarm, der nach vorne gestreckt wird. Alle drei Kicks (oder vier bis fünf Sekunden) nehmen Sie den oberen Arm durch Ihren Aspekt und Ihren gesamten Schlag. Während Sie die Hand ins Wasser tauchen und nach vorne greifen, wird die andere Hand (die die Führungshand war) benutzt, um Sie auf den anderen Aspekt zu ziehen und zu drehen. Halten Sie die Position an der Seite, bevor Sie die folgende Einzeldrehung ausführen. Die 6-drei-6 Übung ähnelt der 6-1-6 Übung, allerdings führen Sie nicht nur einen Zug aus, sondern drei ganze Züge, bevor Sie sich auf die andere Seite drehen. Konzentrieren Sie sich auf eine

gleichmäßige Drehung und darauf, den Körper in einer Linie zu halten. Diese Übung sollte sehr langsam und gezielt ausgeführt werden.

2. Catch-up Drill mit Kickboard: Dieser Drill beginnt mit einer Bewusstwerdung, die sich mehr auf den Freistilschlag bezieht. Sie zwingt den Körper jedoch zusätzlich dazu, sich in einer langen Position zu befinden, bevor der Unterwasserzugteil des Schwungs beginnt. Beginnen Sie mit einem Kickboard und halten Sie jede Hand ausgestreckt vor sich. Beginnen Sie mit dem linken Arm, bevor Sie ihn zum Brett zurückführen. Sobald er das Brett erreicht hat, wird der Zyklus mit dem anderen Arm fortgesetzt. Diese Pause innerhalb des Schlaganfalls gibt Ihnen Zeit, sich auf einen großartigen Trap, Pull und die Rotation zu besinnen, die erforderlich ist, wenn Sie die Erholung beginnen, auch wenn Sie den anderen Arm ausgestreckt halten und erreichen.

drei. Einarmiger Drill: Mit einem ausgestreckten Arm ganze einarmige Zyklen ausführen. Während diese Übung eine erstklassige Übung für die Spezialisierung auf alle Komponenten des Schlaganfalls ist (Erholung, Einstieg, Fang, Ziehen, Schieben Phasen), für die Zwecke der Verwendung es mit Körperstabilität und Ausrichtung zu helfen, die Aufmerksamkeit auf die übermäßige Ellenbogen Wiederherstellung. Dies wird dazu beitragen, dass Sie einen hervorragenden Zugang und eine hervorragende Unterwasserphase haben. Um dies zu erreichen, ist eine ausreichend gute Rotation erforderlich, und der Körper muss als eine Einheit agieren. Sobald Sie entweder eine halbe oder eine ganze Länge mit einem Arm geschafft haben, wechseln Sie zum anderen Arm. So können Sie auch erkennen, ob auf Ihrer linken oder rechten Seite eine Schwachstelle besteht.

vier. Fingertip Drag Drill: Diese Übung kann sowohl als Aufholübung als auch als langsam geführte Freistilübung ausgeführt werden. Das Hauptaugenmerk liegt auf einer bequemen Erholung und einem präzisen Zugang, da der Schwimmer gezwungen ist, den Ellbogen hoch zu halten, während die Handflächen nahe am Wasser bleiben. Ziehen Sie mit dem Ausholarm die Fingerspitzen langsam knapp unter die Wasseroberfläche und halten Sie sie dort, bis die Hand ins Wasser eintaucht. Wenn diese Übung korrekt ausgeführt wird, erhalten Sie sofort Hinweise darauf, ob Ihre Arme bequem sind und das Wasser spüren können.

fünf. Tarzan/Polo-Drill: Diese Freestyle-Übung wird mit dem Kopf aus dem Wasser heraus und in neutraler Position ausgeführt, wobei der Blick direkt nach vorne gerichtet ist. Der

Schwerpunkt dieser Übung liegt auf der Erholung mit dem übergroßen Ellbogen, dem exzellenten Zugang und der Grünerfassung. Sie ermöglicht es, die obere Rahmenelektrizität aufzubauen und einen schnelleren, effektiveren Umsatz zu erzielen.

6. Faust-Drill: Dies ist eine ausgeklügelte Übung, die, wenn sie effektiv durchgeführt wird, es dem Schwimmer erleichtert, ein Gefühl für die Wasserbelastung am Unterarm für die Dauer der Fangphase des Schwimmzugs zu bekommen. Sie fördert einen frühen, hohen Ellbogen während der gesamten Fangphase. Der Freistil wird sehr langsam ausgeführt, wobei die Hände während des gesamten Zuges zu Fäusten geballt werden. Wenn der Schlag überhastet ist, werden Sie nicht das Gefühl bekommen, das Sie suchen. Dies ist die effektivste Übung, die ich ohne Flossen empfehlen kann, da man auf die Kommentare achten muss, die man erhält (den Druck in den Unterarmen), wenn man seine Fangfunktion an einem bestimmten Punkt der Übung reguliert. Dieser Drill ist ebenfalls sehr gut geeignet, wenn man ihn mit regulärem Freestyle kombiniert (z.B. 25 Yards Fäuste/25 Yards frei), weil er es einem erlaubt, die abgegebene Energie aus dem Loch der Hände und dem höheren Ellbogen zu spüren.

Hinweis: Es wird empfohlen, diese Übung zunächst unter dem wachsamen Auge eines Ausbilders durchzuführen, um sicherzustellen, dass die Daumen nicht zuerst ins Wasser kommen. Dies führt zu einer übermäßigen Innenrotation der Schulter, was zu Schulterproblemen führen kann.

Einführung in Drag

Intensität und Dauer der Schwimmübungen sind auf jeden Fall wichtig, wenn man schnell schwimmen will. In dem Maße, in dem diese Komponenten zunehmen, wird sich die Fitness verbessern und das Tempo schneller werden, aber nur bis zu einem gewissen Punkt. Schwierigeres und längeres Training hat seine Grenzen. Für die meisten von uns ist die Zeit, die wir zum Schwimmen zur Verfügung haben, begrenzt und die Intensität, die der Körper bewältigen kann, ist begrenzt. Irgendwann reichen Intensität und Dauer nicht mehr aus, um Fortschritte beim Schwimmen zu erzielen.

Dies führt zu der entgegengesetzten Schlüsselkomponente für schnelles Schwimmen, nämlich der Technik. Konkret sind die 2 Aspekte davon:

1. Verringerung des Luftwiderstands im Wasser

2. Erhöhung des Vortriebs im Wasser

Wasser ist dichter als Luft. Der Luftwiderstand im Wasser nimmt mit dem Quadrat der Schwimmgeschwindigkeit zu. Das heißt, je schneller wir schwimmen, desto stärker macht sich der Widerstand bemerkbar. Da die Verringerung des Luftwiderstands Fähigkeiten erfordert, anstatt Druck auf den Vortrieb auszuüben, gibt es mehr Raum für Verbesserungen. Mit diesem Gedanken im Hinterkopf, hier sind meine 5 Schlüsselkonzepte und meine 10 besten Übungen, um den Widerstand zu verringern.

Grundsätze zur Verringerung des Luftwiderstands

Nr. 1: An der Balance arbeiten

Die Verbesserung der Stabilität im Wasser ist die erste und wichtigste Methode zur Verringerung des Luftwiderstands. Je waagerechter Sie im Wasser bleiben können, desto weniger Wasser wird verdrängt, und desto besser ist folglich Ihre Stabilität. Wenn das Oberteil zu weit im Wasser liegt oder beim Atmen angehoben wird, führt dies dazu, dass die Hüften und Beine abfallen. Die stromlinienförmige Position wird beeinträchtigt und es entsteht zusätzlicher Widerstand.

Nr. 2: Groß schwimmen

Sich im Wasser so "lang" wie möglich zu machen, ist vergleichbar mit einem spitz zulaufenden Rennkajak, das sich durch das Wasser bewegt, im Gegensatz zu einem kleinen runden Freizeitkajak. Das Rennkajak erzeugt viel weniger Turbulenzen, weil es sich durch das Wasser bewegt, als das kompakte Boot. Weniger Turbulenzen bedeuten eine geringere Wasserverdrängung und damit auch einen geringeren Widerstand. Um größer zu schwimmen, muss man sich beim Eintauchen ins Wasser mit der Hand weiter nach vorne strecken, während man sich dreht, um Luft zu holen.

Nr. 3: Neutraler Kopf

Die Spitze in einer ausgerichteten und neutralen Position zu halten (d.h. im Gleichschritt mit dem Rahmen, nur das Gesicht im Wasser), hilft bei der Stromlinienform. Konzentrieren Sie sich auf die Hüften, um die Rotation zu steuern, und lassen Sie dann den Kopf folgen. Eine Minimierung der Kopfbewegung führt zu einer geringeren Wasserverdrängung.

Nr. 4: Kompakter und effizienter Kick

Untersuchungen haben ergeben, dass selbst die besten olympischen Schwimmer nur etwa 10 % ihrer Geschwindigkeit durch den Abstoß erzeugen. Während der Abstoß für schnelles Schwimmen von entscheidender Bedeutung ist, vor allem für die Teilnehmer an Hundertmeterläufen im Freistil (um den Vortrieb zu erzeugen), ist ein kompakter Abstoß für Triathleten wichtiger, um den Widerstand zu verringern. Auf diese Weise sollte der Abstoß nicht zu tief unter der Körperlinie verlaufen oder den Boden beschädigen.

Nr. 5: Ausatmen

Wenn man den Atem anhält, während das Gesicht untergetaucht ist, entsteht zusätzlicher Auftrieb. Das sieht zwar wie ein erstaunliches Element aus, aber das Problem ist, dass der erweiterte Auftrieb in der oberen Hälfte des Körpers stattfindet. Dies hat zur Folge, dass die Beine sinken. Wenn das Gesicht im Wasser ist, sollten Sie ständig durch den Mund, die Nase oder eine Kombination aus beidem ausatmen - je nachdem, was für Sie am angenehmsten ist. Das hilft zusätzlich, um sicherzustellen, dass die Lungen bereit sind, eine vollständige Einatmung zu verkraften.

Hier sind meine zehn besten Übungen, die Ihnen helfen, diese 5 Ideen in die Praxis umzusetzen. Diese Übungen müssen mit langen Flossen ausgeführt werden, um ihre Wirkung zu maximieren. Achten Sie darauf, jede Übung langsam auszuführen.

Übungen für schnelleres Schwimmen

1. Kicking on Back: Hände und Finger über dem Kopf ausgestreckt. Konzentrieren Sie sich darauf, die Hüften hoch im Wasser und den Kopf in einer neutralen Position zu halten. Entspannen Sie sich, wenn Sie atmen.

2. Vertikales Kicken: Aus einer vertikalen Position im tiefen Ende des Schwimmbeckens und mit den Handflächen an den Seiten einen Flatterkick ausführen, um den Kopf über dem Wasser zu halten. Achten Sie darauf, die Beine direkt und die Füße spitz zu halten. Wenn Sie stärker werden, können Sie beginnen, eine 90-Diplom-Drehung zu jedem Aspekt mit einer Pause in der Mitte hinzuzufügen. Achten Sie darauf, die Drehung aus den Hüften und Beinen und nicht aus dem oberen Teil des Körpers auszulösen, um den Körper als eine Einheit zu drehen. Für eine extra fortgeschrittene Version, versuchen Sie, Ihre Arme für 10-Sekunden-Dauern zu erhöhen.

3. Kicken auf wieder mit Rotation: Diese Übung ermöglicht es Ihnen, sich auf eine exzellente Rahmenrolle zu konzentrieren und in Ihrer Längsachse zu rotieren. In einer horizontalen Funktion auf dem Rücken mit den Armen durch die Seiten, drehen Sie Ihren Körper auf die Seite 90 Stufen. Halten Sie die Position kurz (drei bis fünf Sekunden), bevor Sie sich auf den Rücken und auf die andere Seite drehen. Lassen Sie die Hüften die Drehung führen und achten Sie darauf, den Kopf in einer neutralen Position zu halten. Gehen Sie es langsam an und entspannen Sie die Atmung.

vier. Unterwasser-Abdruckwand: Diese Übung fördert das Bewusstsein, im Wasser stromlinienförmig zu sein. Atmen Sie auf dem Bauch tief ein, wippen Sie unter Wasser und stoßen Sie sich kräftig von der Wand ab. Bleiben Sie unter Wasser und stoßen Sie sich mit ausgestreckten Händen in Torpedoform von der Wand ab, bis Sie wieder Luft holen wollen, bevor Sie die Übung wiederholen. Halten Sie nicht die Luft an, sondern lassen Sie die Luft langsam durch die Nasenlöcher und den Mund ausströmen.

fünf. Kicken auf dem Bauch mit ausgestreckten Armen: Beginnen Sie in der gleichen Position wie bei der obigen Übung mit den Händen in einer Torpedo-Rolle (Handflächen über dem Kopf verschränkt, Ellenbogen gerade). Führen Sie diese Übung auf dem Boden des Wassers aus, mit dem Ziel, knapp unter die Wasseroberfläche zu treten. Halten Sie Ihren Kopf so, dass sich Ihre Ohren zwischen den Schultern befinden. Konzentrieren Sie sich darauf, ständig auszuatmen, während der Kopf im Wasser ist. Heben Sie den Kopf zum Atmen.

6. Bauchklatschen mit den Armen durch die Seiten: Starten Sie mit dem Gesicht nach unten im Wasser, den Kopf in einer neutralen Position, die mit der Wirbelsäule ausgerichtet ist, und die Handflächen an den Seiten. Führen Sie kleine, kompakte Kicks aus. Drehen Sie sich zum Atmen auf die Seite. Führen Sie mit den Hüften und dem Bewusstsein für die Drehung als eine Einheit. Achten Sie darauf, dass die untere Brille im Wasser bleibt und atmen Sie während der Drehung aus.

7. Gestreckte Seitenbalance: Beginnen Sie in der Seitenlage mit ausgestrecktem Unterarm, der nach vorne reicht. Er sollte sich knapp unter dem Boden des Wassers befinden. Ziel ist es, das Ohr an die Schulter zu drücken. Der Kopf kann sich in einer neutralen und ausgerichteten Position im Wasser befinden, wobei die Augen leicht in Richtung der führenden Hand schauen. Der Bauchnabel sollte zur Seitenwand gerichtet sein. Atmen Sie aus, während der Kopf im Wasser ist, und wenn Sie den Kopf zum Atmen drehen, achten Sie darauf, dass eine Schwimmbrille im Wasser und eine außerhalb des Wassers ist (da dies die geeignete Position auf dem Kopf ist, während Sie sich zum Atmen drehen). Der obere Arm geht durch Ihre Seite. Führen Sie einen gleichmäßigen Tritt aus und achten Sie dabei darauf, die Beine gerade zu halten und nicht in den Knien zu

beugen. Machen Sie eine Länge des Beckens auf einer Seite und wechseln Sie dann auf die andere Seite.

8. Seitliches Gleichgewicht: Diese Übung wird ähnlich wie die vorangegangene Übung ausgeführt, allerdings werden beide Arme an den Kanten positioniert. Führen Sie diese Übung aus, um mit Flossen zu beginnen. Bei dieser Übung kann eine Drehung eingeführt werden, bei der man in der Seitenlage beginnt und sich dann langsam auf die andere Seite dreht. Achten Sie darauf, den Körper während der Drehung lang und gerade zu halten. Halten Sie die Position auf jeder Seite, bevor Sie die Drehung wiederholen.

9. Haifischflosse: Beginnen Sie diese Übung in der gestreckten Streckbankposition (Übung Nr. 7). Führen Sie den oberen Arm langsam in die Rolle einer Haifischflosse, wie unten dargestellt, und bringen Sie ihn dann wieder zur Seite. Diese Übung kann auch in der seitlichen Stabilitätsfunktion (Übung Nr. 8) geübt werden. Die Haifischflossenposition fördert Ihr Gleichgewicht und hilft Ihnen, sich mit der Wiederherstellung des hohen Ellbogens vertraut zu machen, um sich auf den Zugriff mit der Hand vorzubereiten.

10. Torpedoabstoß von der Wand: Diese Übung ähnelt dem Unterwasserabstoß von der Wand (Übung Nr. vier). Allerdings

wird diese Übung auf dem Boden des Wassers ausgeführt. Stoßen Sie sich mit ausgestreckten Armen und zusammengelegten Fingern von der Wand ab, während Ihr Gesicht im Wasser ist. Strampeln Sie kräftig, bis Sie Luft holen müssen. Halten Sie an und schwimmen Sie langsam zurück zur Wand. Konzentrieren Sie sich darauf, Ihre Füße zu richten - und zwar so, dass die massiven Füße fast zusammenstoßen - und aus der Hüfte zu treten. Halten Sie Ihre Knie bequem (aber nicht gebeugt) und geben Sie Kraft aus der Hüfte. Sie müssen spüren, wie Ihr Gesäßmuskelgewebe angespannt wird.

Drittes Kapitel

Die Grundlagen des schnelleren Schwimmens

Hier sind ein paar Tipps zum besseren Schwimmen.

1. Beginnen Sie mit Ihrem Ansatz.

Springen in den Pool und Knall aus ein paar Sätze bei maximaler Tiefe wird mit einer bemerkenswerten Übung zu kommen; es kann keine Frage, dass, aber wie viel von diesem Schwimmen ist mit dem exquisiten Ansatz erreicht?

Es ist verlockend, unsere Gesamtleistung im Schwimmbad auf schiere Anstrengung und Willen zu gründen, aber wenn Sie kritisch sind, weil Sie schneller schwimmen wollen, sollten Sie zusätzlich mit Aufmerksamkeit und Absicht schwimmen. Wenn Sie absichtlich unterrichten, bedeutet dies, dass Sie Ihre Schwimmübungen mit jedem Versuch und Bewusstsein durchführen.

Die letzte Grundlage für einen erfolgreichen Schwimmer ist eine ausgezeichnete Technik. Während Sie sich entwickeln, wirkt eine negative Technik wie eine gläserne Decke auf Ihre Fähigkeiten, etwas, das wir in ein paar Augenblicken extra ansprechen können.

2. Gehen Sie einen Schritt nach dem anderen.

Der Versuch, die Technik im großen Stil zu ändern, ist schwierig und führt dazu, dass Sie sich überfordert fühlen. Konzentrieren Sie sich auf eine Sache nach der anderen, bis Sie sie absolut perfekt beherrschen, und gehen Sie dann direkt zur nächsten Sache über.

Umgekehrt, wenn Sie unbedingt an einzelnen Aspekten Ihres Schlags und Ihres Trainings arbeiten sollten, beginnen Sie damit, diese mit Hilfe des Sets zu trennen.

So konzentrierst du dich zum Beispiel während des Aufwärmens ganz darauf, den Ellbogen hoch zu halten. Während der Voreinstellung arbeitest du an der richtigen Körperdrehung. Wenn diese Übungen zu festen Bestandteilen deines Schwimmens werden, werden sie sich in deinen täglichen Schwimmstil integrieren.

Konzentrieren Sie sich auf eine Komponente und machen Sie sie im Pool wahnsinnig gut.

3. Holen Sie Feedback ein.

Unsere Vorurteile sind fast grenzenlos. Sie übertreiben unsere Ängste, spielen unsere Stärken herunter und lassen uns glauben, dass wir uns bei dieser Aufgabe mehr angestrengt haben, als wir es sicher getan hätten. Sie wirken sich auch darauf aus, wie wir unsere Technik sehen.

Der Handeingang scheint nicht mehr so breit zu sein, wie wir denken. Wir lassen unseren Ellbogen fallen, während wir uns abnutzen, ohne es zu merken. Und so weiter.

Eine Schulung oder ein Videokommentar, wenn Sie alleine trainieren, wird Ihnen helfen, Fehler in Ihrer Methode frühzeitig zu erkennen.

Es liegen zahlreiche Meter und Yards vor Ihnen, die Sie schwimmen müssen, und es ist von grundlegender Bedeutung, dass Sie Ihren Schwimmstil richtig beherrschen, bevor Sie ins Wasser springen. Je weiter Sie in Ihrem Schwimmberuf kommen, desto schwieriger wird es, Änderungen vorzunehmen und die Strecke zu wechseln.

Üben Sie, holen Sie sich Feedback, wenden Sie es an, und wiederholen Sie es.

4. Ahmen Sie die Profis nach.

Eine meiner Lieblingsmethoden, um vor dem Training in Stimmung zu kommen, ist es, ein paar YouTube-Videos von einigen meiner Lieblingsschwimmer hochzufahren.

Ob es nun Matt Biondi ist, der seine Freistilschwimmzüge ausführt, oder Phelps oder Lochte, die unter Wasser gigantische Delphinkicks ausführen - anderen Schwimmern dabei zuzusehen, wie sie so schwimmen, wie ich es brauche, hilft mir, die Aktionen zu verinnerlichen, wenn ich später ins Wasser gehe.

Wir reagieren gut auf Nachahmung, da unser Gehirn so genannte Spiegelneuronen besitzt, die es uns ermöglichen, die Bewegungen und Bewegungen anderer zu verinnerlichen.

5. Begreifen Sie die Leistung.

Wasser bedeutet Widerstand. Einen ganzen Haufen davon. Da es im Meer fast 800-mal dichter ist als Luft, müssen Schwimmer ständig gegen den Widerstand des Wassers ankämpfen.

Ob wir uns nun stromlinienförmig bewegen, unseren Körper rasieren oder teure technische Anzüge anziehen, wir haben ständig mit der Dichte des Wassers zu kämpfen.

Beim Schwimmen geht es in der Regel nicht darum, leistungsfähiger oder effektiver zu werden, sondern darum, besonders grün zu sein. Wenn man sich den Körperbau eines Schwimmers ansieht, erkennt man, was ich meine: Sie sind schlank gebaut und darauf ausgelegt, der Dichte des Wassers zu trotzen. Michael Phelps wiegt bei einer Größe von 6'4" *bestens* etwa 190 Pfund.

Schlank, effizient.

Alexander Popov, der wohl beste Freistilschwimmer aller Zeiten, könnte oft lange Freistilstrecken schwimmen, während er die Ecken und Kanten seines Schwimmstils erforscht und unermüdlich nach Möglichkeiten sucht, ihn noch effizienter und leichter durch das Wasser gleiten zu lassen.

Versuchen Sie, Ihren Schlag lang zu machen, um ihn grüner zu machen, während Sie gleichzeitig ein niedriges Profil im Wasser behalten.

6. Üben, üben, üben.

Die Spitzenschwimmer lassen es extrem sauber aussehen, nicht wahr? Wir können einer Person wie Michael Phelps beim Schwimmen zuschauen und denken uns, weil es so entspannt aussieht, müsste es doch glatt gehen.

Hinter dem entspannten Schwimmstil verbergen sich ein hohes Maß an Beherrschung und ein unbändiger Wille, über Jahre hinweg besser und schneller zu trainieren. Sie haben sich diesen "geschmeidigen" und effektiven Schwimmstil über viele Kilometer gezielter Meter und Yards im Schwimmbad erarbeitet.

Egal, ob dein Ziel die Teilnahme an den Olympischen Spielen oder die Aufnahme in die Universitätsmannschaft ist, du musst trainieren.

Es geht darum, die Wiederholungen anzuzeigen und zu installieren.

Mit einem wunderbaren Ansatz und außergewöhnlicher Anstrengung einige Längen zu schwimmen, ist großartig; es über Wochen, Monate und Jahre hinweg immer wieder zu tun, ist großartig.

7. Messen und Fortschritte.

Schwimmen ist eine Freizeitbeschäftigung mit Zahlen. Die Anzahl der Schläge, die Schlagzahl, die Intervalle und die Herzfrequenz sind der wahr gewordene Traum eines jeden Statistikers.

Noch wichtiger ist, dass sie Ihnen sehr spezifische, messbare Benchmarks liefern, die Sie im Laufe der Zeit verbessern und ausbauen können.

Konzentrieren Sie sich auf den Bereich, der für Sie am wichtigsten ist, und arbeiten Sie daran, ihn zu verbessern.

Das ultimative Ziel sollte sein, sich von Woche zu Woche im Schwimmbad weiterzuentwickeln. Schließlich wirkt die Entwicklung wie eine motivierende Infusion, die ein stetiges und konstantes Gefühl von Schwung vermittelt, um Sie gezielt und inspiriert zu halten, damit Sie im Schwimmbad hart arbeiten.

Ob es nun darum geht, zusätzliche Meter im Renntempo zurückzulegen, mehr Hunderter in einem bestimmten Intervall zu absolvieren oder eine bestimmte Schlagzahl für immer längere Strecken beizubehalten - es gibt unzählige Möglichkeiten, das Schwimmen zu verbessern.

DRILLS

Schädelbohrer stehend

Bei dieser Übung spüren Sie, wie das Wasser Ihre Unterarme und die Finger Ihrer Handflächen ergreift, damit Sie begreifen, wie Sie im Wasser Halt finden. Stellen Sie sich für die Übung brusttief in den Pool (beugen Sie die Knie, falls nötig), mit den Handflächen 4 bis 5 Zoll unter dem Boden, parallel zum Boden des Pools. Richten Sie Ihre oberen Handflächen nach außen, etwas weiter als schulterbreit; Ihre oberen Handflächen bleiben während der Übung in dieser Position.

Beginnen Sie mit gebeugten Ellbogen und den Händen/Unterarmen vor Ihren Schultern in einer 45-Diplom-Haltung, so dass Ihre Hände weit von jedem anderen entfernt sind (der Daumen ist der untere, der kleine Finger der obere Punkt). Arbeiten Sie vom Ellbogen aus und drücken Sie Ihre Finger/Unterarme von jedem anderen weg (das ist die Out-Sweep-Bewegung), wobei Sie Ihren Ellbogen allmählich strecken, bis Ihre Arme 8 bis 12 Zoll breiter als schulterbreit sind. Am Ende des Out-Sweeps kehren Sie die Richtung Ihrer Handflächen/Unterarme schnell um, so dass Ihre Hände in einem 45-Grad-Winkel zueinander stehen (der kleine Finger ist jetzt der untere Punkt und der Daumen der obere Punkt), und drücken Sie nach innen, wobei Sie Ihren Ellbogen wieder beugen (dies ist die In-Sweep-Bewegung). Führen Sie den In-Sweep aus, bis sich Ihre Hände/Unterarme vor Ihren Schultern befinden, und machen Sie dann den umgekehrten Weg und den Repitch für jeden weiteren Out-Sweep. Um die Vorteile dieser Übung zu nutzen, sollten Sie darauf achten, dass Sie Ihren oberen Arm stabil halten und am besten aus dem Ellbogen heraus arbeiten. Diese Übung trainiert die Koordination und die Kraft des Ellbogens, was für alle drei Stufen des Unterwasserzuges wichtig ist.

Horizontal-Skull-Bohrer

Die gleichen Hand- und Unterarmbewegungen wie beim Standing Skull Drill, aber jetzt liegen Sie im Wasser, mit dem Gesicht nach unten, die Oberarme in der hohen Ellbogenfalle, während Sie die Länge des Beckens abmessen.

Um waagerecht zu rudern, stoßen Sie sich von der Wand ab und legen sich dann auf den Boden, wobei Sie jede Hand vor dem Kopf halten. Strecken Sie Ihre Oberarme nach vorne, indem Sie die Muskelmasse, die das Schulterblatt umgibt, dehnen. Ihre oberen Hände müssen angehoben, 3 bis 4 Zentimeter breiter als Ihre seitliche Körperlinie nach außen gewölbt und gerade so gedreht/gedreht sein, dass die Ellbogen nach oben zeigen. Halten Sie Ihre oberen Finger an einem bestimmten Punkt der Übung in dieser übermäßigen Ellenbogenfunktion stabil.

Tarzan-Bohrer

Schwimmen Sie Ihren normalen Freistilschlag, aber halten Sie
den Kopf die ganze Zeit über dem Wasser und schauen Sie
direkt nach vorne. Ihr Schwimmstil wird vielleicht ein bisschen
kürzer und Ihre Drehung wird sich verbessern. Die Übung
eignet sich hervorragend, um Kraft und natürliche Drehung
aufzubauen und den Unterwasserzug zu verbessern, da du das
Wasser richtig halten musst, um vorwärts zu kommen, während
du deinen Kopf über Wasser hältst.

Hund-Paddel-Bohrer

Simulieren Sie den Freistilschlag, aber halten Sie Ihren Kopf
über Wasser und Ihre Arme während der gesamten Übung unter
der Wasseroberfläche. Begeben Sie sich nicht über das Wasser
wie bei einem normalen Freistilschwimmen. Schieben Sie
stattdessen, nachdem Sie nahe an der Hüfte gelandet sind, die
Hand/den Unterarm unter den Rahmen, in die Nähe des
Körpers, zurück in die Verlängerung vor den Kopf.

Einarmiger Bohrer

Bei dieser Übung bleibt ein Arm an den Schreibtisch gebunden,
während der andere Arm gleichzeitig zieht. Der Grund für das
einarmige Ziehen ist, dass Sie sich auf den Unterwasserzug auf
einer Seite konzentrieren können, ohne sich Gedanken über das
Timing des gesamten Zuges zu machen. Halten Sie den Arm, der
an den Schreibtisch gebunden ist, an Ihrer Seite oder vor Ihrem

Kopf. Es ist schwieriger, den stationären Arm an der Seite zu lassen; versuchen Sie es, wenn Sie sich stark genug fühlen und den Atem und den mittleren Druck gut koordinieren können.

Sie können sich auf jedes Element der Schlagannäherung an einem bestimmten Punkt des einarmigen Drills konzentrieren, zusammen mit (1) der bogenförmigen Bewegung Ihres Oberarms, weil er in den hohen Ellbogen greift, (2) der Neigung Ihrer Hand/ihres Unterarms während des gesamten diagonalen Abschnitts des Schlags oder (3) der Neigung der Hand, die für das Finish näher zur Hüfte führt.

Einarmiger Drill mit Kickboard

Ähnlich wie oben, jedoch mit dem nicht schwimmenden Arm auf der Spitze eines Kickboards. Diese Übung bietet eine weitere Perspektive, um alle Ebenen des Unterwasserzuges zu trainieren, insbesondere den hohen Ellbogengriff.

Legen Sie die Hand, die nicht sticht, flach auf die Spitze der Mitte des Kickboards. Schauen Sie mit dem Kopf aus dem Wasser, schauen Sie geradeaus und stoßen Sie mit der Arbeitshand/dem Arbeitsarm, wobei Sie sich darauf konzentrieren, das Wasser zu erfassen und zu spüren. Beobachten Sie gelegentlich Ihre Hand und Ihren Unterarm, wenn sie ins Wasser eintauchen, um sicherzustellen, dass sie ihren Weg in die Rolle des übermäßigen Ellenbogens finden. Während du schlägst, spüre deinen Weg in den Griff, indem du deinen oberen Arm drei oder vier Zentimeter nach außen wölbst, während du deine Hand/den Unterarm allmählich nach unten lenkst, wobei all dies im vorderen Bereich deines Kopfes neben dem Kickboard stattfindet. Die Größe ist keine abrupte, abgehackte Bewegung. Die Mechanik des Zugs sollte stets von einem robusten, durchdachten Gefühl für das Wasser begleitet werden.

Ausdrücke

Legen Sie die Arme kaum weiter als schulterbreit auseinander auf den Beckenboden, den Körper brusttief im Wasser. Achten Sie darauf, dass sich Ihre Beine nicht vom Beckenboden abstoßen, und drücken Sie sich ausschließlich mit der Kraft Ihres oberen Körpers in eine Position, in der Sie die Arme direkt nach oben strecken. Achten Sie darauf, dass Ihre Unterarme zu Beginn des Drückens parallel zum Wasserspiegel oder zum Deck sind und die Ellbogen nach hinten zeigen, damit Sie das Muskelgewebe rund um Ihr Schulterblatt anspannen. Viele Menschen heben beim Ausdrücken fälschlicherweise die Ellbogen an, so dass der Unterarm senkrecht zum Boden steht. Dadurch entsteht ein ungesunder Druck auf das Schultergelenk, und die Muskeln rund um das Schulterblatt werden nicht angesprochen. Nachdem Sie dringend eine sofortige Armposition eingenommen haben, senken Sie den Rahmen für das folgende Ausdrücken brusttief ins Wasser zurück.

Technik der Verrohrung

Einstellen der Position des übermäßigen Ellenbogens: Legen Sie Ihre Finger zwischen die Kunststoffabdeckung und das Nylonband. Legen Sie den Gurt um Ihre Handflächen, so dass Sie die Arme flach und offen halten können, mit gestreckten Händen, ohne die Hand zu schröpfen. Heben Sie den oberen Arm auf Schulterhöhe und spannen Sie den Bogen drei bis vier Zentimeter weiter als die seitliche Seite der Rahmenlinie, so dass die Rolle etwas breiter als schulterbreit ist. Drehen Sie den oberen Arm leicht, so dass der Ellbogen nach oben zeigt. Strecken Sie den Arm nach vorne, indem Sie die Muskeln, die an den Schulterblättern ansetzen, anspannen. Halten Sie das Handgelenk direkt und bündig mit dem Unterarm und beugen Sie den Ellenbogen, um den Unterarm und die Handflächen nach unten zu führen.

Ziehen des unteren Rückens: Drücken Sie sich mit Unterarm und Hand nach hinten, wobei die Finger in Richtung Boden zeigen, um den Satz mit dem übergroßen Ellbogen zu simulieren. Wenn die Hand/der Unterarm unter dem Kopf vorbeigeht, beginnt der diagonale Abschnitt. Drücken Sie Ihren Oberarm näher an die Achselhöhle, als ob Sie einen Luftballon zusammendrücken würden. Während der obere Arm zusammendrückt, neigen Sie die Hand/den Unterarm 3 bis 5 Zentimeter nach innen, um sie/ihn unter den Körper zu führen. Ihr Ellenbogen bleibt nach außen gerichtet, und Ihr oberer Arm bleibt draußen am Rande des Körpers. Sobald Ihre Hand unter

Ihrem Bauchnabel vorbeigeführt wird, müssen Sie sie um drei bis fünf Grad nach außen neigen, um sie in Richtung Hüfte zu führen. Strecken Sie den Ellbogen/Arm am Ende durch, aber blockieren Sie ihn nicht.

Erholung: Nach Beendigung des Zuges führen Sie die Hand/den Unterarm über einen niedrigen Weg in die Ausgangsposition zurück. Simulieren Sie nicht das Überwasser-Erholungssegment des Freistilschwimmens, da die Spannung aus dem Schlauch zusätzlich zu stark abprallen und Ihre Schulter beschädigen kann.

Nur Trizeps-Übung:

Diese Übung, die eine enge, schnelle Bewegung ist, trainiert eine höhere Armkraft und den Endabschnitt des Freistilschwungs.

Für das Training beugen Sie sich in der Taille, so wie Sie auch die vollen Züge auf dem Schlauch machen werden. Beginnen Sie mit den Händen direkt vor der Außenkante Ihrer Hüfte, entlang Ihres Oberschenkels, wobei die Fingerspitzen und Unterarme senkrecht zum Boden zeigen. Die Ellbogen sollten im 90-Diplom-Winkel angewinkelt sein. Die oberen Finger sollten an den Körperrändern anliegen und während der gesamten Übung in dieser Position verbleiben; dies erfordert eine außergewöhnliche Stabilitätskraft in den Schultern und in der Mitte, und für viele Menschen ist dies der schwierigste Teil der Übung.

Elemente, die für schnelles Schwimmen nicht so wichtig sind

Es wird immer wieder behauptet, dass die Zugmechanik und das Gefühl für das Wasser der entscheidende Faktor in unserem Sport sind. Von den 10 Dingen, an denen man aus technischer Sicht arbeiten sollte, haben diese beiden den größten Einfluss darauf, ob ein Schwimmer sein volles Leistungsvermögen erreicht.

Aber was ist mit den anderen achtzig Prozent der Ansatzfaktoren innerhalb des Freistilschwimmens, was hat es damit auf sich, und wie viel sollten wir darauf achten? Nennen wir sie zunächst einmal.

Es folgt das Modell der 80/20 von Pareto im Schwimmsport:

- Die entscheidenden Elemente: Die 20 Prozent, die achtzig Prozent Wirkung haben
- Zugmechanik
- Gefühl
- Die nicht lebenswichtigen Elemente: Die achtzig Prozent, die 20 Prozent Wirkung haben
- Überwasser-Bergung
- Eintrag
- Erweiterung

- Achslinienausgleich
- Taktung des Hubs
- Kicken
- Atmung
- Rolle von Kopf und Körper

Die nicht lebenswichtigen Elemente werden aus einem oder mehreren der folgenden Gründe als solche eingestuft:

Sie haben keinen Einfluss mehr auf die Gesamtleistung, die der Zug hat.

Sie können mit einer negativen Zugmechanik nicht richtig ausgeführt werden. Mit anderen Worten: Der Zug ist eine Voraussetzung.

Sie sind einfacher zu recherchieren als der Pull und erfordern daher nicht mehr so viel Aufmerksamkeit.

Glauben Sie aber nicht, dass die nicht lebenswichtigen Faktoren ignoriert werden können. Sie wirken sich sehr wohl auf die Leistung aus und erfordern daher Aufmerksamkeit. Mit der Einstufung als nicht lebenswichtig möchte ich betonen, dass man sich nicht länger auf die schwierigeren lebenswichtigen Elemente konzentrieren darf, während man sich auf andere Teile des Schlags fixiert. Diese Komponenten sollten verstanden und in angemessenem Umfang im Unterricht behandelt werden.

Das Pareto-Schwimm-Prinzip

Das Pareto-Prinzip (auch bekannt als die Achtzig-20-Regel, die Regel der wenigen Wichtigen und das Prinzip der geringen Anzahl von Faktoren) besagt, dass bei vielen Aktivitäten mehr oder weniger 80 % der Ergebnisse von 20 % der Ursachen herrühren. Bei One with the Water kehren wir diese Regel um und befolgen sie bei allen zahlreichen Workout-Routinen und Lektionen!

Dies ist ein zweistufiger Prozess. Schritt eins ist die Planung, Schritt zwei die Ausführung.

PLANUNG

Eines der bemerkenswerten Dinge an der 80/20-Regel ist, dass sie mathematisch ist, was das Planen unglaublich einfach macht. Alles, was Sie tun müssen, ist einen Zeitplan zu erstellen, in dem etwa achtzig Prozent Ihrer gesamten wöchentlichen Unterrichtszeit (nicht mehr Strecke) in jedem Bereich mit geringer Tiefe verbracht wird.

Dazu müssen Sie natürlich erst einmal wissen, was geringe, leichte und übermäßige Tiefe für Sie bedeuten. Wie bereits erwähnt, ist die Grenze zwischen geringer und leichter Tiefe die erste ventilatorische Schwelle, die bei einem regelmäßig trainierten Triathleten bei etwa 77 Prozent der maximalen Herzfrequenz liegt. Warum diese Schwelle und nicht mehr die bekanntere Laktatschwelle, die etwas höher liegt? Weil

Untersuchungen von Stephen Seiler und anderen darauf hinweisen, dass ein Training leicht oberhalb der ventilatorischen Schwelle für den besorgten Apparat weitaus bedenklicher ist als ein Training leicht unterhalb dieser Schwelle, selbst wenn die Tiefe unterhalb der Laktatschwelle bleibt. Die Grenze zwischen mäßiger und hoher Tiefe ist die zweite ventilatorische Schwelle oder der Atmungsrückzahlungsfaktor, der bei traditionell trainierten Triathleten bei etwa 92 Prozent der Herzfrequenz liegt.

David Warden, mein Partner bei eighty/20 Training, hat einen Online-Rechner entwickelt, mit dem sich die Trainingszonen beim Schwimmen, Radfahren und Laufen leicht bestimmen lassen. Wir verwenden ein 5-Quart-Schema, bei dem die Zonen 1 und 2 eine niedrige Intensität, Zone 3 eine mittlere Intensität und die Zonen 4 und 5 eine hohe Tiefe aufweisen.

Beachten Sie, dass es meilenweit am wichtigsten ist, die 80/20-Regel zu befolgen, während Sie aktiv die meiste Wettkampffitness anstreben, was Sie zu einem bestimmten Zeitpunkt im Jahr nicht mehr tun müssen. Während der Nebensaison und des frühen Grundlagentrainings ist es gut, etwas weniger als 20 Prozent des Trainings bei leichten und hohen Intensitäten zu absolvieren. Auf diese Weise können Sie Ihre Gesundheit sanft bis zu einem Grad aufbauen, bei dem Sie in der Lage sind, für den Endspurt zum Wettkampf auf ein 80/20-Training umzuschalten.

HOCHINTENSIVE INTERVALLE

Beachten Sie außerdem, dass bei einem Intervalltraining mit übermäßiger Intensität der gesamte c-Sprachblock, einschließlich der aktiven Erholungsphasen, als Zeit mit hoher Intensität gezählt werden sollte. Der Grund dafür ist, dass die Herzfrequenz im Verlauf der Trainingseinheit angezeigt werden sollte, da sie so höher ist. Nehmen wir zum Beispiel an, Sie absolvieren ein Radfahrprogramm mit acht 1-minütigen Trainingseinheiten bei hoher Intensität und 2-minütigen Erholungsphasen mit geringer Tiefe zwischen den Trainingseinheiten. In diesem Fall verbringt Ihre Herzfrequenz fast 24 Minuten im hochintensiven Bereich, obwohl Sie nur 8 Minuten lang hochintensive Energieleistungen erbringen.

SCHWIMMEN

Schwimmübungen werden in der Regel bewusst über die Distanz absolviert. Wenn Sie Ihr Schwimmtraining nach der 80/20-Regel planen, sollten Sie berücksichtigen, dass Sie die gleiche Strecke in viel kürzerer Zeit bei höherer Intensität zurücklegen können als bei niedrigerer Intensität. Wenn Sie etwa 75 Prozent Ihrer wöchentlichen Schwimmstrecke in geringer Tiefe zurücklegen wollen, werden Sie etwa 80 Prozent Ihrer wöchentlichen Schwimmzeit mit geringer Intensität verbringen.

Ausführung

Die Planung des Unterrichts nach der 80/20-Regel ist ein Aspekt. Die tatsächliche Durchführung der Meilen ist der andere. Auf einer realistischen Stufe bedeutet die Einhaltung dieser Regel, dass man bei Trainingseinheiten, die auf eine geringe Tiefe abzielen, ein wenig langsamer werden muss. Die meisten Freizeittriathleten wählen unbewusst Schwimm-, Rad- und Laufgeschwindigkeiten, die bei grundlegenden aeroben Konditionierungseinheiten kaum über der ventilatorischen Schwelle liegen können. Anders ausgedrückt: Während die Athleten denken, dass sie sich in einer geringen Tiefe befinden, sind sie in Wahrheit mit einer geringen Intensität unterwegs - ein Phänomen, das ich "Tiefenblindheit" nenne.

Die Überwindung der Tiefenblindheit erfordert die regelmäßige Verfolgung geeigneter Intensitätskennzahlen wie Herzfrequenz, Tempo und Kraft sowie die Bereitschaft, ein wenig langsamer zu laufen, als es der eigene Körper zulässt. Diese Umstellung erweist sich für viele Athleten als überraschend schwierig, da es ihnen schwerfällt, der Trägheit der Sucht zu entkommen und/oder zu glauben, dass eine Verlangsamung ihnen wirklich nützt.

Es erfordert Subjektivität und Zurückhaltung, um diesen Übergang zu vollziehen, aber wer es schafft, wird immer wieder belohnt. Zunächst werden Sie vielleicht feststellen, dass Sie sich bei Ihren Trainingseinheiten mit geringerer Tiefe einfach wohler fühlen und sie deshalb möglicherweise mehr genießen. Dann werden Sie vielleicht feststellen, dass Sie sich bei Ihren härteren Trainingseinheiten zügiger fühlen und mehr Leistung bringen. Als Nächstes werden Sie eine beschleunigte Entwicklung Ihrer Gesundheit erleben. Und schließlich werden Sie bei Ihrem nächsten Rennen einen Durchbruch bei der Gesamtleistung erzielen. Bis dahin sind Sie vielleicht absolut überzeugt und für immer süchtig nach der achtzig/20 Ausbildung.

Viertes Kapitel

Schwimmunterricht

Wie man Rückenschwimmen schwimmt

Das Erlernen des Rückenschwimmens ist etwas, das du dir selbst beibringen kannst. Folgen Sie diesen Schritten, um Wege zum Rückenschwimmen zu entdecken.

Rückenschwimmen Körperposition

Die Körperrolle beim Rückenschwimmen ist parallel zur Wasseroberfläche; Ihre Kopfposition kann das Geschehen steuern. Denken Sie sich eine gerade Linie vom Scheitelpunkt Ihres Kopfes aus, die Wirbelsäule hinunter, und machen Sie diese Linie parallel zur Wasseroberfläche. Deine Nase sollte nach oben in Richtung Himmel/Decke zeigen. Ihre Schultern müssen nach vorne gerollt sein, so dass Ihr Rücken leicht gebogen ist, wie der Bug eines Bootes.

Beginnen Sie damit, indem Sie sich auf den Rücken stellen und von einer Wand abstoßen. Gehen Sie in die parallele Rolle und legen Sie die Finger auf die Oberschenkel, die Arme sofort; rollen Sie die Schultern nach oben und über die Brust ein, halten Sie den Kopf zurück, die Nase nach oben, das Wasser ist etwa bei den Ohren. Üben Sie weiter, in diese Position zu gehen, bis Sie sich sicher fühlen.

Der Rückschwimmstoß

Das Wichtigste beim Rückenschwimmen ist, eine Reihe von Luftblasen zu erzeugen und das Wasser mit Hilfe der Füße zum Kochen zu bringen. Treten Sie mit den Beinen besonders schnell, treten Sie aus der Hüfte, lockern Sie die Knöchel und gehen Sie durch, durch, durch. Wenn Ihre Knie aus dem Wasser ragen, haben Sie sie zu stark gebeugt.

Stoßen Sie sich von der Wand ab, stellen Sie sich parallel zu den Beinen auf, ziehen Sie die Schultern ein und beginnen Sie zu treten. Und treten. Und treten. Denke daran, die Musik zu halten, in der du dich im Pool befindest, und stoße deinen Kopf nicht an die Wand.

03

von 07

Rückenschwimmen Kick und Körperrolle

Sobald Sie das Treten richtig beherrschen, während Sie sich in der parallelen Funktion zurücklegen, fangen Sie an, ein paar Körperdrehungen hinzuzufügen. Heben Sie beim Kicken eine Schulter aus dem Wasser, lassen Sie die andere Schulter unter das Wasser fallen - halten Sie Ihre parallele Linie parallel - behalten Sie Ihren Kopf zurück, die Nase zeigt nach oben - halten Sie das Kicken - dann wechseln Sie die Schultern.

Kicken Sie mit einer Schulter nach oben für 3-10 Kicks, dann wechseln Sie zur anderen Schulter nach oben. Wiederholen. Wiederholen. Wiederholen.

Hoffentlich sehen Sie hier das Muster. Arbeite an jedem Schwimmtalent, bis du dich wohl fühlst, und gehe dann zum nächsten über. Wenn Sie direkt zum nächsten Talent übergehen und dann das Gefühl haben, dass Sie die Details der vorherigen Fähigkeit verlieren, ist das kein Problem. Gehen Sie ein paar Schritte zurück und beginnen Sie erneut.

04

von 07

Atmen

Hmmmmm. Ihr Gesicht ist die ganze Zeit außerhalb des Wassers. Wann atmen Sie beim Rückenschwimmen? Mehr oder weniger jedes Mal, wenn du willst! Ein normales Muster ist, dass man einatmet, während ein Arm in der Luft ist, und ausatmet, wenn der andere Arm oben ist.

05

von 07

Mehr Tritte und Body Rolling

Wechseln Sie nun die Armrolle, während Sie kicken. Halten Sie einen Arm an der Seite, den anderen nach oben gerichtet, so dass er in die Richtung zeigt, in die Sie gehen. Wenn Sie Ihren Status nach oben gerichtet haben, sieht es so aus, als würden Sie Ihre Hand hochhalten, um eine Frage zu stellen. Die Schulter dieses Arms sollte ein Stück nach unten gedreht sein - der Bizeps befindet sich direkt unter Ihrem Ohr. Die andere Schulter (die seitlich am Arm befestigt ist) muss nach oben zeigen, aus dem Wasser heraus und fast Ihr Kinn berühren. Denken Sie daran, Ihren Kopf ruhig zu halten und die Nase nach oben zu richten.

Kick, Kick, Kick. Dies ist wie Freestyle 10/10 Bohrer, einfachste auf den Kopf gestellt.

Wechseln Sie die Hände, indem Sie den Arm mit der Seite nach oben bewegen, in einem großen Regenbogen durch die Luft, und tauschen Sie den Platz mit dem Arm, der nach oben gegangen ist - dieser Arm geht durch eine Unterwasserbewegung in einem großen Bogen an Ihrem Aspekt herunter.

06

von 07

Die Arme - Ziehen beim Rückenschwimmen

Der einfache Zug ist ein gerader Arm, der mit dem Daumen zuerst aus dem Wasser kommt und mit dem kleinen Finger zuerst ins Wasser geht. Das ist nicht der beste

Rückschwimmzug, nicht so wie bei den Olympischen Spielen, aber es ist der einfachste Weg, ihn zu analysieren.

Während du deine Finger fließen lässt (ziehst), hältst du ständig jeden Arm gegenüber dem anderen Arm. Wenn ein Arm ins Wasser geht (der kleine Finger zuerst), verlässt der andere Arm das Wasser (der Daumen zuerst).

Wenn sich ein Arm in der Luft befindet, muss seine Schulter diejenige sein, die sich oben und außerhalb des Wassers befindet. Die Schulter des Arms im Wasser muss diejenige sein, die sich unten, im Wasser befindet. Ihre Schultern (und Ihr Rahmen) drehen sich über und unter dem Wasser, zusammen mit Ihrer parallelen Linie, mit Ihren Armen. Achten Sie darauf, dass Ihr Kopf nicht bewegt wird und Ihre Nasenlöcher nach oben zeigen. Und kick!!!!

07

von 07

Schwimmen Rückenschwimmen

Halten Sie den Tritt in Gang, halten Sie die Finger in Bewegung und atmen Sie. Der Kopf ist ruhig, die Nasenlöcher sind oben, die Schultern heben sich mit ihren verbundenen Armen. Sie schwimmen Rückenschwimmen. Herzlichen Glückwunsch! Versuchen Sie, für die Dauer Ihrer nächsten Schwimmübung ein wenig Rückenschwimmen zu üben.

Front Crawl

Verbessern Sie Ihren Front-Crawl-Ansatz

Um sicherzustellen, dass du das Beste aus deiner Zeit im Schwimmbecken herausholst, findest du hier einige fortgeschrittene Tipps, wie du deine Kraultechnik verbessern kannst.

Im Wasser

- Wenn du deinen Front Crawl Ansatz verbesserst, versuche deine Position so flach wie möglich im Wasser zu halten, mit einer leichten Neigung zu den Hüften, um den Beinschlag unter Wasser zu erhalten.

- Versuchen Sie, Ihren Bauch flach und gerade zu halten, um Ihr Gesäß zurück zu führen.

- Wenn Sie mit den Augen nach vorne und nach unten schauen, muss Ihr Kopf mit dem Rahmen übereinstimmen und der Wasserstand sollte zwischen Ihren Augenbrauen und dem Haaransatz liegen.

- Versuchen Sie, Ihren Kopf und Ihre Wirbelsäule so ruhig und entspannt wie möglich zu halten. Drehen Sie stattdessen Ihre Hüften und Schultern, um Schwung durch das Wasser zu bringen. Ihr Kopf sollte am effektivsten Teil der Rotation sein, wenn Sie atmen müssen.

- Die Schulter muss aus dem Wasser ragen, wenn der Arm aus dem Wasser kommt, während der andere Arm den Vortrieb unter dem Wasser beginnt.

- Die Hüften dürfen nicht mehr so stark rotieren wie die Schultern.

Weitere Tipps und Technikvideos

Weitere Anleitungen und Filme zur Verbesserung Ihrer Front-Crawl-Methode finden Sie auf unserer Swim England Members Website.

Bewegung des Arms

- Halten Sie den Ellbogen leicht gebeugt, während Sie die Hand vor dem Körper halten, um ins Wasser zu gelangen.

- Der Einstieg sollte zwischen der Mittellinie der Spitze und der Schulterlinie liegen, und die Hand sollte mit der Handfläche nach unten und außen gerichtet sein, so dass der Daumen zuerst ins Wasser eintaucht.

- Ziehen Sie nicht sofort zurück, sobald Ihre Hand im Wasser ist - Sie sollten sich selbst Raum geben, um unter dem Wasser voranzukommen, bevor Sie beginnen, Ihre Hand wieder an den Körper zu bringen.

- Nach dem Eintauchen ins Wasser muss der Arm eine dreifache Wischbewegung ausführen.

- Mit kaum gebeugtem Ellbogen schwingen Sie nach vorne, dann zurück zur Körpermitte und wieder nach außen zu den Oberschenkeln, um eine Sanduhrform zu imitieren.

- Maximieren Sie die Leistung Ihres Schwungs, indem Sie die gesamte Armaktion ausführen und den Arm nicht mehr aus dem Wasser holen, bevor er Ihr Bein erreicht.

Kicken

- Die Beine müssen nahe beieinander sein, die Knöchel entspannt und in einer kontinuierlichen Bewegung.

- Es ist nicht nötig, riesige Ab- und Aufwärtsbewegungen zu machen - eine regelmäßige, kleine Bewegung reicht aus. Während die maximale Belastung auf den Zehen liegen sollte, sollten Sie darauf achten, Ihre gesamten Beine zu bewegen.

- Versuchen Sie, Ihre Beine so gerade wie möglich zu halten. Zwischen dem Ende des Upbeats und dem Beginn des Downbeats sollte es eine leichte Kniebeuge geben, aber im Allgemeinen gilt: Je gerader die Beine sind, desto grüner und kraftvoller ist der Kick.

- Je mehr Kicks Sie im Takt des Zyklus ausführen, desto mehr Energie können Sie verbrauchen. Sprintschwimmer verwenden in der Regel sechs oder acht Kicks für einen Zyklus, aber jemand, der längere Strecken schwimmt, sollte weniger, dafür aber mehr Kicks verwenden.

Atmung

- Versuchen Sie, Ihre Kopfdrehung so gleichmäßig wie möglich zu halten, während Sie atmen. Ihr Nacken muss sauber bleiben, und Ihr Kopf und Ihre Wirbelsäule müssen sich der Drehung der Schultern anschließen.

- Eine Seite des Gesichts sollte im Wasser bleiben, und vielleicht müssen Sie auch Ihren Mund zu einer Seite strecken, damit er frei bleibt.

- Versuchen Sie, Ihren Kopf nicht zu weit aus dem Wasser zu heben - je mehr Sie Ihren Kopf heben, desto mehr werden Ihre Füße und Beine im Wasser versinken.

- Nach einem kräftigen Einatmen drehen Sie Ihr Gesicht im Takt der Schulterdrehung zügig und sanft zurück ins Wasser.

- Die Ausatmung erfolgt im Wasser, während der Kopf wieder in eine neutrale Position gebracht wird, und kann allmählich oder explosiv erfolgen.

- Die Regelmäßigkeit der Atmung ist nicht immer in Stein gemeißelt - es ist zweifelsohne besser, einzuatmen, wenn es notwendig ist. Eine Standardmethode ist es, alle drei Züge zu atmen, wobei die Seite, zu der sich die Spitze dreht, abgewechselt wird und das Gleichgewicht während des Zuges gehalten wird.

Wenden

- Wenn Sie sich der Wand nähern, müssen Sie die letzten beiden Armzüge zusammen mit den Händen mit Hilfe der Oberschenkel abfangen.

- Bringen Sie Ihren Körper durch Beugen der Hüfte und der Knie in eine Tuck-Rolle. Drehen Sie sich in einem Salto über die horizontale Achse, werfen Sie die Beine über die Hüfte an die Wand und öffnen Sie die Knie, während Sie die Zehen am Ende der Wand aufstellen.

- Strecken Sie die Beine kraftvoll durch, um den Schwung vom Beckenrand wegzubringen.

- Schieben Sie die Hände vor den Kopf, drücken Sie die Ohren zusammen, legen Sie die Finger übereinander und drehen Sie sich in der Vorwärtsbewegung nach hinten.

- Führen Sie parallel zur Wasseroberfläche einen Wechsel- oder Delphinbeinschlag unter Wasser aus, wenn sich der Schwung des Anstoßes verlangsamt.

- Beginnen Sie dann Ihre Armbewegung mit dem ersten Arm, während der Rahmen noch leicht untergetaucht ist - das hilft, den Kopf an die Oberfläche zu bringen.

Brustschwimmen

Das Brustschwimmen wird von Kindern, die das Schwimmen erlernen, auch als "Froschschwimmen" bezeichnet, weil es besonders liebenswert klingt. Die Bewegung ähnelt auch der eines Frosches, der im Wasser schwimmt, daher die Bezeichnung. Es ist der beliebteste Freizeitstil, weil er sehr solide ist und bei einer guten Technik keine große Anstrengung erfordert.

Es mag ein komplizierter Schwimmstil sein, aber wenn man es erst einmal geschafft hat, ihn gut zu koordinieren, kann er zu einer völlig entspannten Art zu schwimmen werden. Hier sind 5 Schritte, um sicherzustellen, dass Sie das Brustschwimmen beherrschen.

Schritt 1: Rolle des Körpers

Halten Sie Ihren Körper flach und legen Sie sich mit dem Gesicht nach unten ins Wasser, so dass Ihr Körper den Boden berührt.

Schritt 2: Armbewegung

Es gibt drei Schritte bei der Armbewegung - das Fangen, Ziehen und Erholen. Eine amüsante Art und Weise, dies zu untersuchen, ist die Annahme, eine große Schüssel Eis zu schöpfen (Fangen), in Richtung Mund zu drücken, um zu essen (Ziehen) und es dann wieder zu tun (Erholen).

1. Fangen - Mit gestreckten Fingern und nach unten gerichteten Händen gleichzeitig nach unten und außen drücken.

2. Ziehen - Die Ellenbogen über den Handflächen anheben und kräftig zur Brust ziehen. Der Zug muss eine beschleunigende Handbewegung haben, die über die Handfläche und die Unterarme wieder nach unten drückt.

3. Erholen - Führen Sie beide Arme in einem gebetsähnlichen Stil vor der Brust zusammen und drücken Sie sie nach außen, bis Ihre Finger wieder gerade sind. Diese Position ermöglicht es, den Luftwiderstand beim Stoßen in Richtung Wasser zu verringern.

Schritt 3: Atemtechnik

Heben Sie Kopf und Hals am Ende der Zugbewegung über das Wasser und atmen Sie ein. In der Erholungsphase atmen Sie die Luftblasen im Wasser aus, während Sie die Hände nach vorne drücken. Denken Sie daran, die Gebetsfunktion und eine geeignete Atemstrategie anzuwenden!

Schritt 4: Beinaktion

Beginnen Sie mit gestreckten Beinen, beugen Sie die Knie, um die Ferse näher zum Gesäß zu bringen, und machen Sie mit den Füßen eine runde Bewegung nach außen, bis sie in die Ausgangsstellung zurückkehren. Wenn die Knie gebeugt sind,

müssen die Zehen unter der Wasseroberfläche und schulterbreit
seitlich sein.

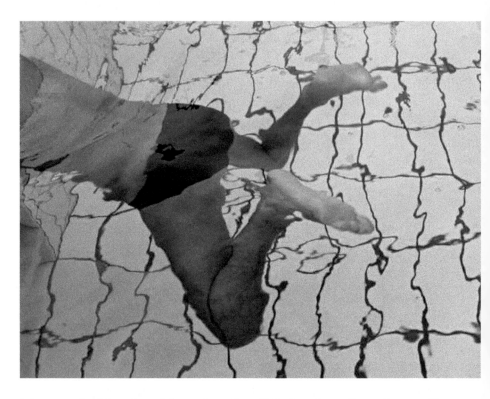

Ein entscheidender Faktor ist, die Füße in einer dorsalen Rolle
(Plattfuß) zu halten, während man den Brustschwimmstoß
ausführt, um einen größeren Schub zu erhalten.

Schritt 5: Lernen Sie zu gleiten

Nach der Ausführung des Brustschwimmstosses muss sich Ihr Körper in einer stromlinienförmigen Position befinden, wobei Ihre Beine und Arme gestreckt sind. Bleiben Sie ein bis zwei Sekunden in dieser Funktion, denn der Vortrieb durch die Beine muss Sie vorwärts "gleiten" lassen.

Der Schmetterlingsschlag ist einer der schwierigsten
Schwimmschläge, da er neben einem ausgezeichneten
Rhythmus auch eine besondere Technik erfordert. Er ist der
wohl ästhetischste Schwimmstil, eine Balance zwischen Energie
und Anmut.

Die "Fliege", wie sie von Schwimmern liebevoll genannt wird,
erfordert Delphinstöße, die mit Hilfe einer gleichzeitigen
Armbewegung ausgeführt werden. Es ist außerordentlich

lohnenswert, die "Fliege" zu schwimmen. Hier sind fünf saubere Schritte, die Ihnen zeigen, wie Sie diese Technik beherrschen.

Schritt 1: Körperhaltung

Halten Sie Ihren Körper flach und legen Sie sich ins Wasser, wobei Ihr Körper mit dem Wasserboden in Kontakt bleibt.

Schritt 2: Armbewegung

Ähnlich wie beim Front Crawl gibt es 3 Schritte innerhalb der Armbewegung - das Fangen, Ziehen und Erholen.

- Fangen - Mit den Handflächen direkt nach außen, schulterbreit nebeneinander und mit den Fingern nach unten, gleichzeitig mit jeder Handfläche nach unten und außen drücken.
- Ziehen - Ziehen Sie die Hände in einer halbkreisförmigen Bewegung mit den Armen nach außen, wobei Sie die Ellenbogen besser halten als die Arme.

- Erholung - Sobald jeder Arm die Oberschenkel am oberen Ende des Zuges erreicht hat, strecken Sie die Handflächen gleichzeitig nach außen und über das Wasser und werfen sie nach vorne in die Ausgangsrolle. Achten Sie darauf, dass Ihre Finger nach außen durchgehen, damit Ihre Daumen zuerst ins Wasser kommen.

Körperrolle beim Schmetterlingsschwimmen (Bildnachweis: Wong ChekPoh/SportSG)

Dritter Schritt: Atemtechnik

Das Atmen kann schwierig sein, weil es zeitlich abgestimmt und schnell durchgeführt werden muss. Der richtige Zeitpunkt zum Atmen ist zu Beginn des Wiederherstellungsabschnitts, wenn die Arme gerade aus dem Wasser kommen. Heben Sie Ihr Kinn über das Wasser, während Sie direkt nachschauen und darauf achten, dass Sie sich nicht zur Seite drehen.

Schritt 4: Beinaktion

Der beste Weg, die Beinarbeit für den Schmetterling zu untersuchen, ist, sich selbst als Delphin oder Meerjungfrau mit einem einfachen Schwanz vorzustellen! Kicken Sie mit beiden Beinen zusammen und mit den Zehen gleichzeitig nach unten.

- Der erste Tritt ist ein kleiner Tritt, um die Funktion des Rahmens auszubalancieren, nachdem die Finger das Wasser betreten haben.

- Der zweite Kick ist ein großer Kick, der während der Erholungsphase ausgeführt wird, wenn die Finger über dem Wasser sind. Der massive Tritt soll den Rahmen weiter nach vorne treiben, da der Schwung während der gesamten Erholungsphase verloren geht.

Fünfter Schritt: Bewegen Sie Ihren Körper in einer wellenförmigen Bewegung

Sei eins mit der Welle. Ihr ganzer Körper muss beim Schwimmen eine wellenförmige S-Form haben. Ähnlich wie beim Tanzen sollten Sie Ihren Instinkten freien Lauf lassen und mit dem Schwung der Bewegung mitgehen. Wenn Sie es schaffen, Ihren Rhythmus zu finden und die Bewegungen Ihres Körpers und Ihrer Gliedmaßen zu synchronisieren, werden Ihre Züge effizienter und weniger ermüdend sein.

Hinweise zur Koordinierung

- Delphinstöße für jeden Armzyklus verwenden

- Der erste Tritt erfolgt, wenn die Hände die Einfangphase beginnen

- Der 2. Kick erfolgt am Ende des Ziehsegments

- Kinn nach unten nach der Atmung

Hilfreiche Tipps

- Kicken Sie aus der Hüfte und nicht nur aus den Beinen

- Nutze die Kraft des Zuges, um aus dem Wasser zu springen und zu atmen.

Die zehn Gebote für einen korrekten Tauchgang - Jeder kann es schaffen!

Viele träumen davon, auf elegante und korrekte Art und Weise in einen Pool zu springen. Eine korrekte Tauchmethode, die den richtigen Einstieg ins Wasser ermöglicht und dem anschließenden Schwimmen Schwung verleiht, kann jeder ohne Angst vor dem Wasser durchführen, ohne dass man ein erfahrener Schwimmer sein muss. In diesem Text listen wir die Stufen für einen korrekten Tauchgang mit einfachen Gründen auf, die alle Menschen ausführen können.

Erstens ist es wichtig, sich klarzumachen, dass der Zweck eines Tauchgangs darin besteht, Verletzungen des Nackens und des unteren Rückens zu vermeiden, und nicht darin, auf dem Bauch zu landen. Außerdem wollen wir vermeiden, mit dem Beckenboden zusammenzustoßen oder die Schwimmbrille fallen zu lassen. Um dies zu verhindern, ist die erste und grundlegende Nation eines Tauchgangs die Pfeilhanddehnung - der Kopf liegt unter den Händen, der Handrücken der rechten Hand berührt die Handfläche der linken Hand (oder umgekehrt) und der Daumen der linken Hand bedeckt die rechte Hand.

Die zehn Sportereignisse für effizientes Tauchen

10 Schritte, um einen Schwimmtauchgang zu erforschen und den Nacken & das Gesäß in der WEST-Schwimmmethode zu schützen

Jede Übung sollte 3 Mal durchgeführt werden und nach dem Fallen oder Springen ins Wasser ist es sehr empfehlenswert, 50 bis 100 Meter im Freistil zu schwimmen, um den Nacken und den Körperrahmen zu trainieren und die folgenden körperlichen Spiele durchzuhalten.

1. Tauchen in einem Pool Schritte 1-Sitzen durch das Becken, Zehen an der Wand, fallen in das Wasser.

Stellen Sie sich mit den Füßen an die Wand, mit dem Gesäß an die Beckenseite und heben Sie die Hände pfeilförmig über den Kopf. Führen Sie die Arme in der Pfeilstellung langsam von ihrer Rolle über dem Kopf in Richtung Wasser. Erst wenn der Pfeil das Wasser berührt und das Brustbein den Kniebereich erreicht, richten Sie die Füße auf und bleiben 3 bis 5 Sekunden lang im Pfeil im Wasser.

Sitzende Funktion, Zehen am Beckenrand, Gesäß zu den Fersen und in Pfeilstellung ins Wasser fallen.

Setzen Sie sich auf den Beckenrand, wobei die Füße am Rand des Beckens ruhen und die Füße die Schwelle des Beckens einhalten und das Wasser leicht berühren. Das Gesäß berührt die Fersen oder ist bis zur Schwelle des Möglichen gebeugt, wobei der Rücken oder die Knie belastet werden. Das Gleichgewicht ist bei dieser Übung etwas schwierig, daher ist es sehr nützlich, vor dem Sprung ins Wasser den Po zu stabilisieren (für Kinder ist die Haltung sehr sauber). Bilden Sie mit den Fingern einen Pfeil und strecken Sie die Finger langsam dem Wasser entgegen. Wenn die Arme das Wasser berühren, strecken Sie die Beine durch.

3. Tauchen in einem Pool Schritt 3 - Stehen in einer 90-Diplom-Haltung, Hände in einem Pfeil und fallen in das Wasser (ähnlich wie Hocken).

In dieser Übung machen Sie es wie in Übung 2, aber die Perspektive zwischen den Knien und Gesäß kann 90 Bereiche sein. Normalerweise ist dieser Schritt weniger kompliziert, was die Beweglichkeit der Knie betrifft. Es ist wichtig zu beachten, dass Sie, während Sie Ihre Finger in Richtung Wasser richten und Ihre Stabilität verlieren, Ihren Kopf nicht mehr über Ihre

Finger heben, sondern in der Pfeilrolle bleiben, um nicht in den Bauch zu fallen.

vier. Tauchen in einem Pool Schritt vier - Pfeilgeformte Arme sind in einer 45-Diplom-Haltung näher zum Wasser gerichtet, und die Haltung zwischen der Hüfte und dem Knie kann über 90 Bereiche betragen.

Die Übung wird wie Trainingsbereich 3 durchgeführt, jedoch wird der Körper bei dieser Übung näher zum Wasser hin ausgerichtet. Der Pfeil wird auf die Rückseite des Beckens gerichtet, einen Meter von der Wand entfernt. Der Raum erscheint den meisten Menschen zu nah und so neigen sie dazu, die Finger nach oben zu heben. Infolgedessen fallen sie auf den Bauch, anstatt auf modische Weise in das Wasser einzudringen.

5. Tauchen in einem Pool Schritt 5-Nach dem Sprung, sobald Sie das Gleichgewicht verlieren - die Beine sind gestreckt.

Wiederholen Sie die Übung 4, aber dieses Mal sollten Sie nicht darauf achten, dass die Handflächen das Wasser berühren, um die Beine zu strecken. In diesem Training, wie in der vorherigen Übung, die Haltung der Praxis für den Sprung vielleicht hundertzwanzig Ebenen zwischen den Knien und Oberschenkel, ist der Pfeil in Richtung der Pool Rückseite einen Meter weit von der Wand gerichtet. Wenn Sie beginnen, das Gleichgewicht zu verlieren, springen Sie sanft und strecken Sie Ihren Körper im Wasser für drei bis fünf Sekunden, genau wie bei den vorangegangenen Sportveranstaltungen.

6. Tauchen in einem Pool Schritt 6- Springen ohne zu fallen - Finger in einem Pfeil, ist die Haltung zwischen dem Knie und Oberschenkel etwa hundertzwanzig Grad.

Bei dieser Übung wartet man nicht mehr darauf, das Gleichgewicht zu verlieren, sondern springt, wenn man sich aufgerappelt hat. Die Betonung liegt darauf, nicht zu hart zu springen und den Pfeil nicht mehr zu öffnen, weil man Angst hat, dass das Wasser schnell näher kommt.

7. Sprung in ein Schwimmbecken Schritt 7- Mit 25 cm gespreizten Beinen stehen Sie mit den Füßen am Beckenrand - auf das Kommando "Sprung" strecken Sie die Hände pfeilartig aus und springen ins Wasser.

Für diese Übung brauchen Sie einen Freund, einen Rettungsschwimmer oder jemanden, der rund ist. In der Übungsstufe schaffen Sie eine bequeme Entfaltung, d.h. finden Sie die richtige Körperhaltung, ohne Druck im Gesäß oder

Nacken zu verursachen. Bei der Übung schließen Sie die Augen, achten darauf, ins Wasser zu kommen, und teilen der anderen Person mit, dass sie mit einem "Sprung"-Ruf beginnen soll. Dadurch, dass wir die Augen schließen, werden unsere Sinne geschärft und wir können einen besonders korrekten Tauchgang machen. Außerdem üben wir das Ausblenden von Strom für die Tauchgänge im Hinblick auf das spätere Kennenlernen. Öffne deine Augen erst, wenn deine Handflächen das Wasser betreten.

acht. Tauchen in einem Pool Schritte acht- Tauchen in einen Ring in einem Abstand von 1 und eine Hälfte von Metern bis 2 Meter aus dem Wasser.

Eines der wichtigsten Dinge beim Tauchen ist das Wissen, wie man den Abstand des Tauchgangs einstellt und gleichzeitig den Einstieg ins Wasser steuert und die Finger nach oben streckt. Beim Tauchen in einen Reifen muss man genau wissen, wo man im Wasser landet, und man lernt, wie man die Handflächen nach dem Eintauchen ins Wasser nach oben streckt, damit man nicht mit dem Boden kollidiert.

9. Tauchen in einem Becken Schritt 9 - Tauchen in einer Delphinbewegung und weiterschwimmen mit 3 Zügen.

Stellen Sie sich wie in Übung Nr. 7 auf, wobei die Zehen auf der Schwelle des Beckens stehen, der Rahmen kaum gebeugt ist, und beugen Sie die Beine leicht bis zu dem Punkt, den Ihre Beweglichkeit erlaubt. Die Hände befinden sich auf dem Beckenrand und der Kopf ist nach unten gerichtet. Auf den Ruf "Soar" formen die Handflächen den Pfeil und die Beine werden gestreckt, weil der Körper ins Wasser eintaucht. Nachdem der Körper im Wasser gestreckt ist, führt man 2 bis vier Delphinbewegungen aus, geht 30 cm von der Wasserlinie weg und macht den ersten Schlag. Danach werden drei solcher Züge ohne Atmung ausgeführt. Halten Sie während des gesamten Übungsschwimmens den Kopf näher am Boden.

Der Zweck des Schwimmens nach dem Tauchgang ist es, den Schwung des Tauchgangs beizubehalten. Es gibt viele Schwimmer, die den Tauchgang abbrechen, bevor sie den Schwung zum Ausstieg nutzen. Das Anheben des Oberkörpers und das Atmen, während wir in Bewegung sind, bewirken, dass der Schwung gestoppt wird.

10. Tauchen in einem Pool Schritt 10-Übungen vier-neun von einem Startblock.

Wenn man auf einem Sprungbrett steht, neigt man dazu, einfach loszuspringen. In den ersten Stufen des Tauchgangs ist nicht die Stärke des Aufschwungs entscheidend, sondern das präzise Eindringen in einer geeigneten Perspektive beim Eintauchen ins Wasser. Schwimmer, die alle vorherigen Schritte machen, springen auch mühelos vom Sprungbrett ab.

Schließlich klettert man nicht auf ein hohes Sprungbrett, um einen präzisen, genauen und schnellen Sprung zu erlernen und durchzuführen. Wenn Sie das Gefühl haben, dass der Sprung weich und geschmeidig ist, versuchen Sie zu springen, während ein Bein vorne und ein Bein hinten ist, ähnlich wie bei Läufern vor einem Rennen.

Fünftes Kapitel

Richtige Ernährung

Schwimmen erfordert große Mengen an Kraft, egal ob es sich um ein Training auf Elite-Niveau oder um eine Altersklassenübung handelt. Wegen dieser hohen Kraftaufwand, Schwimmer wollen die richtigen Schritte zu ergreifen, um die Nährstoffe zu ergänzen verlegt.

Nach den Forschungen der Wellness-Koordinatorin Brigette Peterson im Bereich der Sportnahrung können aggressive Schwimmer in vier Stunden bis zu 5.000 Energieeinheiten verbrauchen, je nach Intensität des Trainings. Damit verbrauchen Schwimmer in dieser Zeit etwa 40 Prozent ihrer täglichen Energie. Aufgrund dieses enormen Energieverbrauchs ist die richtige Nährstoffzufuhr wichtig für den Wiederaufbau und die Regeneration.

Peterson sagt: "Die Ernährung ist der Grundstein für die Gesamtleistung eines jeden Sportlers, insbesondere aber für die eines Schwimmers."

Schädliche Ernährungsgewohnheiten

Zwei weit verbreitete ungünstige Denkweisen von Schwimmern in Bezug auf Lebensmittel liegen an den entgegengesetzten Enden des Spektrums.

Die erste lautet: "Ich schwimme jeden Tag hart, damit ich etwas verzehren kann, das ich will. Ich arbeite es ab, wenn ich schwimme." Es mag zwar stimmen, dass Sie viele Kalorien verbrennen, aber Sie tanken nicht die wichtigen Nährstoffe, die Sie brauchen, um Ihre Gesundheit zu erhalten und schnell zu schwimmen. Ganz zu schweigen davon, dass der Verzehr von viel Zucker und anderen verarbeiteten Lebensmitteln Ihr Schwimmen beeinträchtigt und dazu führt, dass Sie sich langsam und behäbig fühlen.

Die andere Denkweise ist: "Ich habe mich beim Training sehr angestrengt, also muss ich mir das nicht durch übermäßiges Essen verderben. Ich werde nicht essen oder ich werde viel weniger essen, als ich vielleicht muss. Sie können nicht davon ausgehen, dass Ihr Körper die größte Anstrengung für eine Übung oder ein Rennen aufbringt, wenn er nicht genug Gas hat, um dies zu tun.

Es spielt keine Rolle, wie viel oder wie schwer Sie schwimmen oder trainieren, ohne die richtige Ernährung werden Sie Ihre Leistungsfähigkeit nicht erreichen.

Was sollten Schwimmer essen?

Sie fragen sich vielleicht: "Was soll ich dann essen?"

Laut dem Experten für pflanzliche Fitness und Gesundheit Brue Baker sollten Schwimmer, die täglich mehr als zwei Stunden intensiv trainieren, 4 bis sieben leichte Mahlzeiten pro Tag zu sich nehmen. Der Verzehr von großen Mengen an Nahrungsmitteln oder einer übermäßigen Menge auf einmal führt dazu, dass sich der Schwimmer lethargisch fühlt und könnte seine Leistung beeinträchtigen (Die Bedeutung der Ernährung eines Schwimmers). Sie muss außerdem Mahlzeiten enthalten, die leicht verdaulich sind.

Kohlenhydrate sollten die Hälfte des Ernährungsplans eines Schwimmers ausmachen, da sie bei weitem der Treibstoff sind, den Schwimmer brauchen, um das harte Training oder den Wettkampf zu überstehen. Kohlenhydrate werden in Form von Glykogen in der Muskelmasse und der Leber gespeichert und sind der Treibstoff, den unser Körper irgendwann im Laufe des Tages verbraucht - insbesondere während des Trainings. Nach dem Training geht diese Energiequelle möglicherweise zur Neige und muss ersetzt werden. Einige ausgezeichnete Quellen für Kohlenhydrate sind Reis, Getreide, Nudeln, Kartoffeln, Bohnen, Erbsen und Linsen.

Die verschiedenen Teile der Mahlzeit eines Schwimmers müssen aus Eiweiß, gesunden Fetten (Olivenöl, Nüsse, Avocados und Samen), Gemüse, Obst, Vollkornprodukten, Vitaminen und Mineralien bestehen.

Nach Angaben der Academy of Nutrition and Dietetics sollten für jedes Pfund Körpergewicht 0,5 bis 0,7 Gramm Kohlenhydrate verzehrt werden. Für jemanden, der hundertfünfzig Pfund wiegt, ergibt das etwa fünfundsiebzig Gramm. Dies sollte mit 20 bis 40 Gramm Eiweiß kombiniert werden.

Eiweiß erhält die Muskelmasse und baut sie nach den Belastungen des Trainings wieder auf, ebenso wie es den Muskelkater abwendet. Die Bausteine von Proteinen sind Aminosäuren, die die primären Zusatzstoffe für Muskelwachstum und -reparatur sein können. Diana Goodwin von AquaMobile erklärt uns, dass Eiweiß zusätzlich die Immunabwehr unterstützt und stärkt sowie die lästigen Hungerattacken stillt, die Schwimmer während des gesamten Trainings plagen. Einige Proteinquellen sind mageres Fleisch, Fisch, Eier und fettarme Milchprodukte.

Schwimmer müssen zusätzlich häufig Wasser trinken, um hydriert zu bleiben, und im Laufe des Tages an ihren Wasserflaschen nippen, um den Schweißverlust auszugleichen (ja, es ist weitaus praktikabler, im Wasser zu schwitzen). Viele Sportler denken nicht an den Ersatz von Elektrolyten und anderen Mineralien, die mit dem Schweiß verloren gehen, vor allem Natrium und Kalium. Während die meisten Sportler durch einen regelmäßigen Ernährungsplan genügend Natrium zu sich nehmen, können Sie Ihrem Getränk ein wenig Salz und Glukose zur Aufnahme und Auffüllung beifügen.

Peterson sagt: "Ein gut genährter Körper führt zu einer höheren Gesamtleistung bei Training und Wettkampf. Ernährung ist alles."

Was man am Tag vor einem Wettkampf isst

Am Tag vor dem Wettkampf muss der Schwimmer Mahlzeiten zu sich nehmen, die einen hohen Anteil an komplexen Kohlenhydraten haben, und regelmäßig Flüssigkeit zu sich nehmen.

Swim England Masters rät, "wenig und häufig zu essen - alle zwei bis vier Stunden, um den Blutzuckerspiegel konstant zu halten und die Muskelmasse zu stärken". Halten Sie sich an Zutaten, die Sie kennen, und halten Sie sich von großen Nahrungsmitteln fern. Überessen Sie sich nicht - Sie werden sich am Wettkampftag lethargisch fühlen!

Lebensmittel mit komplexen Kohlenhydraten:

- Haferflocken

- Brauner Reis

- Süßkartoffeln oder weiße Kartoffeln mit Schale

- hundertprozentiges Vollkornbrot und -nudeln

- Grapefruit

- Äpfel

- Bananen

- Blaubeeren

- Cantaloupe

Selbst wenn Sie sich zu müde oder ängstlich fühlen, um zu essen, wollen Sie essen - auch wenn es nur ein kleines Stück ist.

Das Frühstück bringt den Stoffwechsel in Schwung und ermöglicht es dem Körper, sich auf das Kommende vorzubereiten, während es gleichzeitig hilft, die Leistung und die Ausbildung zu maximieren.

Essen Sie etwas Leichtes und problemlos Verdauliches wie Müsli, Haferflocken, Banane, Toast, reines Obst oder Joghurt. Wenn Sie morgens keinen Appetit haben, empfehlen die Sports Dietitians of Australia, eine flüssige Mahlzeit zu sich zu nehmen, z. B. Milch-Tetrapacks oder Smoothies.

Was man vor einer Übung oder einem Wettkampf essen sollte

Der Schwimmer muss vier Stunden vor einem Training oder Wettkampf eine kohlenhydratreiche Mahlzeit zu sich nehmen. Die Mahlzeit sollte arm an Ballaststoffen und Fetten sein.

Beispiele sind Vollkorngetreide mit Milch, Obst mit Kohlensäure oder Haferflocken mit Banane oder Zimt.

Ein bis zwei Stunden vorher muss der Schwimmer einen leichten Snack mit kohlensäurehaltigem Obst oder einem Sportriegel zu sich nehmen.

Was man während eines Treffens essen sollte

Der Schwimmer muss darauf achten, zwischen den Aktivitäten zu essen und zu trinken, um die Erholung zu unterstützen und die Dehydrierung zurückzudrängen.

Wenn der Schwimmer zwischen den einzelnen Aktivitäten weniger als eine Stunde Zeit hat, muss der Snack mild und leicht verdaulich sein. Die australischen Sportdiätassistenten empfehlen Saft, Joghurtbeutel und kleine saubere Obststücke.

Wenn der Schwimmer zwischen den Wettkämpfen ein paar bis zwei Stunden Zeit hat, kann er sich mit Nudeln, Sandwiches (Vollkorn- oder Vollkornbrot und Naturfleisch) oder Sushi stärken.

Bringen Sie eine Kühlbox mit Lebensmitteln mit, damit Sie für das Tanken gerüstet sind!

Snacks für die Zeit zwischen den Läufen

Nach einem Wettkampf oder Training möchte der Schwimmer so schnell wie möglich etwas essen, um sich zu stärken. Die Zwischenmahlzeiten müssen aus komplizierten Kohlenhydraten und Proteinen bestehen, nicht aus einfachem Zucker oder fettreichen Zutaten. Lebensmittel wie Nudelsalat, ein einfaches Sandwich, Bananen, Weintrauben, Äpfel, Trockenfrüchte (Rosinen, Aprikosen, Mango), Müsliriegel, Joghurt und ungesalzene Nüsse sind dafür am besten geeignet.

Wenn Sie zwischen den Rennen keine feste Nahrung zu sich nehmen konnten, versuchen Sie es mit verdünntem Saft mit einer Prise Salz, Schokoladenmilch oder einem Smoothie.

Was man nach Meetings und Training essen sollte

Nach dem Training oder einem Wettkampf sollten Kohlenhydrate für die Verbrennung und Proteine für die Wiederherstellung und den Aufbau der Muskeln gegessen werden. Der Schwimmer muss zusätzlich Wasser trinken, um hydriert zu bleiben.

Kohlenhydrate: Frucht-Smoothies, Joghurt-Obstbecher, Obst mit Kohlensäure oder Toast mit Marmelade (oder Erdnussbutter mit Bananen).

Proteine: Vollkornfladen und Hummus, Sandwich mit weißem Fleisch, Schokoladenmilch (Eiweiß und Kalzium zur Stärkung der Knochen und Zufuhr von Aminosäuren in die

Muskelmasse), Thunfischsalat, Eier, Nüsse, Edamame, ein Smoothie mit Milchprodukten und Omelette oder Spiegeleier auf Toast.

Zusammenfassend kann man sagen, dass Baker die Qualität auf den Punkt bringt:

Schwimmer - es ist an der Zeit, dass ihr eure Vitamine nicht länger im Schwimmbecken liegen lasst. Ich versichere Ihnen, dass Sie schneller und länger schwimmen können, wenn Sie die oben genannten Hinweise zu den Vitaminen für Schwimmer in Ihren Ernährungsplan aufnehmen und umsetzen. Nehmen Sie Ihre Schwimmnährstoffe nicht als selbstverständlich hin, sie sind genauso wichtig wie Ihre Stunden im Schwimmbecken.

Sechstes Kapitel

Krafttraining für das Schwimmen

Medizinball-Hocke-Schub

Im schulterbreiten Stand mit leicht gebeugten Knien wird der Medizinball in Schulterhöhe gehalten, die Ellenbogen zeigen nach vorne.

Gehen Sie in die Hocke und strecken Sie dann die Handflächen vollständig nach oben, während Sie den Ball in die Luft entlassen. Die 3 vorangegangenen Schritte sind eine einzige durchgehende Bewegung.

Lassen Sie den Ball auf den Boden fallen.

Wiederholen Sie den Vorgang, bis Sie einen Satz abgeschlossen haben.

Walking Lunge mit Medizinballrotation

Stehen Sie mit den Füßen gemeinsam schulterbreit auseinander, halten Sie den Medikamentenball mit direkten Armen vom Körper weg.

Senken Sie beim Ausfallschritt die Hüfte ab, bis Ihr hinterer Oberschenkel parallel zum Boden ist.

Drehen Sie beim Vorwärtsgehen Ihren Rumpf in die gleiche Richtung wie Ihr vorderes Bein.

Fahren Sie in den Ausfallschritten über den Boden fort, bis Sie den Satz beendet haben.

116

Lassen Sie Ihr vorderes Knie nicht weiter nach vorne laufen als Ihren vorderen Fuß.

Liegestütze

Auf dem Bauch liegend, die Finger etwas breiter als die Schultern.

Beugen Sie Ihre Füße, so dass Ihre Finger und Zehensohlen die Last Ihres Körpers mittragen.

Wenn Sie sich mit den Händen abstoßen, heben sich Ihr Rumpf und Ihre Beine vom Boden ab.

Halten Sie sich sofort zurück und lassen Sie Ihren Bauch nicht durchhängen.

Knien Sie sich einfach mit einem Knie auf den Boden und stellen Sie den anderen Fuß vor den Rahmen.

Greifen Sie das Kabel, so dass der Arm vollständig gestreckt ist. Halten Sie den Arm nahe am Körper, ziehen Sie das Kabel zu sich heran und halten Sie dabei den Ellbogen fest am Rahmen, bis der Ellbogen den Oberkörper erreicht.

Achten Sie darauf, dass Ihr Rahmen in Funktion bleibt. Verdrehen Sie den Körper nicht.

In die Ausgangsposition zurückkehren und wiederholen.

Kurzhantel Rückwärtsfliege

Legen Sie sich mit dem Gesicht auf eine Schrägbank oder beugen Sie sich in der Taille vor und lehnen Sie den Kopf an die Rückenlehne eines Stuhls.

Greifen Sie die Kurzhanteln und lassen Sie die Arme frei baumeln. Halten Sie die Finger nahe am Körper.

Heben Sie die Kurzhanteln seitlich und nach oben, so dass sie sich auf Höhe der Schultern befinden.

Lassen Sie die Hantel langsam und weit von sich weg wieder in die Ausgangsposition fallen.

Benutzen Sie die Beine nicht zur Unterstützung innerhalb der Übung.

Russische Medizinball-Drehungen

In einer Crunch-Position sitzend, halten Sie einen Medizinball oder eine Sandbell in jedem Finger, wobei die Hände in Schulterhöhe ganz nach vorne gestreckt sind.

Drehen Sie den Rumpf von einer Seite zur anderen und halten Sie dabei die Hände auf der Stelle und den Ball auf Brusthöhe. Lassen Sie die Hüften nicht rotieren.

Fahren Sie mit diesem Muster fort, bis Sie das Set fertiggestellt haben.

Holz hacken

Stehen Sie direkt auf, mit den Füßen seitlich einfach jenseits der Schulterbreite halten Sie ein Kabel in beiden Fingern, eine Hand über der Spitze der anderen, Die Hand auf der Unterseite ist die Hand, die dem Gerät am nächsten ist.

Drehen Sie sich seitwärts, während Sie gleichzeitig in die Hocke gehen. Diese Bewegung wird durchgeführt, während die Handflächen sofort (denken Sie an sie als eine Verlängerung des Oberkörpers) ziehen auf dem Kabel nach unten in einer Perspektive über den Rahmen endet auf Kniehöhe.

Führen Sie die Bewegung langsam und kontrolliert zurück in die Ausgangsposition.

Diese Übung sollte in einer kontinuierlichen Bewegung durchgeführt werden.

Wiederholen Sie dies, bis Sie einen Satz beendet haben, wechseln Sie die Beine und wiederholen Sie den Satz.

Ingram Content Group UK Ltd.
Milton Keynes UK
UKHW021420210623
423807UK00014B/517